GRÜND

●

LÉGENDES
●
ET
CONTES
●DES PHARAONS

Légendes
et contes

DES PHARAONS

RACONTÉS
PAR JIŘÍ TOMEK
ADAPTATION FRANÇAISE
DE JEAN ET RENÉE KAREL
ILLUSTRATIONS
DE JOSEF KREMLÁČEK

Illustrations de Josef Kremláček
Arrangement graphique de Ivan Urbánek
Adaptation française de Jean et Renée Karel
© 1985 Aventinum, Prague
Et pour le texte français:
© 1985 Gründ, Paris
ISBN: 2-7000-1145-7
Huitième tirage 1994
Imprimé en République tchèque par Polygrafia, Prague
1/01/45/53-08
Loi n° 49-956 du 16 juillet 1949
sur les publications destinées à la jeunesse

TABLE

● ● ● TABLE

INTRODUCTION

*Aux temps anciens, très anciens, plus anciens encore
qu'on ne saurait le dire ... à l'époque où les hommes, pour écrire,
ne traçaient pas de lettres mais des signes qui semblaient
des dessins ... à l'époque où l'on ne racontait pas encore aux enfants
des histoires de princes courageux, de princesses aux blonds cheveux,
de dragons, de djinns, d'animaux surnaturels, de vieillards pleins
de sagesse, de magiciens cruels, de nains ou de gracieuses fées
de la forêt ... dans ces temps reculés qui se perdent dans la brume
des siècles, parmi les sables brûlants d'un immense désert se créa
un royaume prospère et glorieux, celui de l'antique Égypte.*

*Au mystérieux pays d'Égypte, se dressent vers le ciel
ces hautes constructions édifiées de main d'homme que l'on appelle*

pyramides. Cette terre est le fruit de deux miracles, miracle
du soleil dont la lumière donne vie aux hommes, aux animaux,
aux plantes et aux pierres, et miracle du Nil, dont les eaux sacrées
fécondent l'Égypte, quittant chaque année leur lit pour déposer
dans les champs une terre noire et fertile.

Dans ce lointain pays, régnaient, en ces temps reculés,
les puissants pharaons qui étaient plus puissants que tous les autres
souverains réunis. Ils vivaient dans de magnifiques palais
de brique précieuse et édifiaient d'immenses temples de pierre
où les prêtres célébraient le culte de Rê, le dieu-Soleil.

Les gens croyaient que le soleil était le souverain seigneur du monde
et que son pouvoir magique régnait sur la terre et sous la terre,
sur les eaux et sous les eaux et que sa force surnaturelle décidait
de leur destin.

Et ils croyaient aussi que Rê, le tout-puissant, était l'ancêtre
de tous les grands pharaons qui, après leur mort, prenaient place
dans la barque d'or du soleil et voguaient par les cieux éternellement,
le jour et la nuit.

Notre histoire commence en un temps où la gloire de l'ancienne
Égypte pâlit, où sa longue histoire touche à sa fin, où ses ans
et ses jours sont comptés. Pourtant le Nil devra encore trente fois
s'échapper de son lit et trente fois répandre ses eaux sur la terre
environnante avant que vienne l'année qui est la première
de notre calendier.

Sur l'Égypte régnait alors le dernier rameau d'une lignée
de glorieux pharaons qui avaient dirigé le pays depuis plus
de trois mille ans, la reine des rois, la belle et sage Cléopâtre.

Sur le Nil, voguait le vaisseau royal, sa proue étincelait d'or
et ses voiles de pourpre. Les rames d'argent frappaient la surface
de l'eau au son du luth et du fifre. Sous une tente d'or, à l'avant
du navire, la reine Cléopâtre était étendue sur sa couche et, auprès d'elle,
se tenaient son fils Ptolémée Césarion, âgé de treize ans,
et le scribe royal, le plus savant et le plus sage d'Égypte.
Ils s'entretenaient ensemble :

— Cher enfant, dit la reine, sache que bientôt je remettrai entre tes mains le gouvernement du royaume. Le métier de souverain est dur. Je sais que je dois te préparer à tes futurs devoirs. C'est pourquoi j'ai entrepris avec toi ce long voyage sur le Nil pour te montrer notre beau pays, t'apprendre à le comprendre et à l'aimer.

Puis, elle se tourna vers le sage vieillard :

— Scribe fidèle, écoute mes paroles. Pendant notre voyage, tu seras le précepteur de mon fils. Je veux que tu fasses de lui un homme sage.

— Puissante reine, noble prince, répondit le vieillard, cela n'est pas une tâche facile ! La sagesse est le fruit de l'âge et de l'expérience. Notre glorieux prince est encore bien jeune.

— Chaque jour, dès que se montrera dans les cieux le vaisseau d'or du tout-puissant Rê, le dieu-Soleil, tu conteras au prince un glorieux épisode de notre histoire, épisode que tu choisiras toi-même. Tu devras y penser d'ici demain, lui expliqua la reine.

Les eaux du fleuve s'écoulaient, lentes et permanentes, entre deux murs de rochers. Dès le matin, une vapeur bleutée s'élevait au-dessus de ses flots, ses rives résonnaient des chants d'oiseaux et des stridulations des cigales.

— Regarde, Césarion ! dit le scribe.

Dans l'air brûlant, se dessinaient au loin les pyramides, ces énormes tombeaux de pierre que, dans le passé, les puissants pharaons s'étaient fait construire.

— Sous ces montagnes de pierre se trouvent les sombres labyrinthes, les escaliers, les chambres funéraires qui recèlent le corps de Pharaon, les monnaies, les trésors qui décorent sa tombe, expliqua le savant.

Un peu plus loin, se présentèrent des carrières abandonnées d'où s'étaient retirée la vie et, avec elle, le travail. On en avait tiré jadis d'énormes pierres que le peuple, sur des chars ou des embarcations, transportait jusqu'au lieu où d'autres les chargeaient sur des traîneaux de bois, les traînant à travers les sables jusqu'aux chantiers de construction des pyramides et des temples.

— Hélas, fils bien-aimé, soupira la reine, qu'ils sont loins, ces temps glorieux ! Seul le Nil, père des eaux, sous le ciel bleu et le brûlant Soleil de Rê, le tout-puissant, dans l'ardent désert qui entoure cette verte vallée, survit aux siècles passés.

— Oui, puissante Reine, notre pays est éternel ! reprit le scribe. Je sais ce que je vais conter au prince. Je lui raconterai notre patrie. J'ai étudié les papyrus les plus anciens, j'ai déchiffré les hiéroglyphes qui couvrent les murs de nos temples. Je lui transmettrai chaque jour l'histoire de ses pères, les contes et légendes ou les hauts-faits des glorieux pharaons qui se sont succédé sur le trône depuis que Ménês a réuni le royaume de la Haute-Égypte et celui de la Basse-Égypte en un seul empire et a mis sur sa tête la blanche couronne et la couronne avec le signe du cobra, l'uraeus sacré.

LE PREMIER JOUR

Rê, le dieu-Soleil, apparut éveillant à la vie la terre, les airs et les eaux. Les poissons montaient à la surface, attirés par les clartés du jour et s'ébattaient auprès des rames argentées qui frappaient légèrement les eaux agitées du fleuve. Un vent léger soufflait, le vaisseau royal s'avançait lentement. Sous sa tente d'or et sur sa couche dorée, la reine Cléopâtre reposait, allongée. Son fils, le prince Césarion, et le scribe royal se tenaient auprès d'elle.

— *Voyez, leur dit la reine, déjà les portes de l'Orient se sont ouvertes pour livrer passage à la barque de mon père tout-puissant, Rê, le resplendissant.*

— *Il n'est rien de plus beau dans le monde, Reine vénérée ! lui répondit le scribe.*

— *Tu as promis de nous entretenir des temps passés, digne savant. Nous t'écoutons. Je meurs d'impatience, supplia le prince Césarion.*

— *Ah ! mon fils, quelle impatience ! Vois, scribe, quelle ardeur sur son visage ! Moi-même, je me sens mordue par la curiosité. Va, quel récit nous as-tu préparé ?*

— *Puissante Reine, noble prince, je vous conterai aujourd'hui l'histoire du dieu-Soleil, Rê le tout-puissant, et des grands pharaons, vos glorieux ancêtres, qui régnèrent il y a si longtemps que leur nom s'est perdu.*

LE JUGEMENT TROP PROMPT

A une époque si ancienne qu'elle se perd dans la nuit des temps comme l'eau dans le sable, deux frères vivaient sur la rive du Nil. En ce temps, Rê le tout-puissant, le dieu-Soleil, habitait encore sur la terre et régnait sur l'Égypte, premier de tous les glorieux pharaons.

Parvenus à l'âge d'homme, les deux frères tombèrent tous deux amoureux de la même jeune fille, enfant d'un paysan du voisinage. La jeune fille donna la préférence à l'aîné et se promit à lui.

L'envie remplit soudain le cœur du cadet. Or, de l'envie à la haine, la distance est vite franchie. Le jeune homme se mit à chercher les moyens de supplanter son frère et d'attirer sur lui la sympathie et l'amour de la jeune fille. Il imagina un stratagème. Il prêta à son frère un poignard en cuivre qu'il lui vola pendant la nuit. Le lendemain, il réclama son bien et, comme son frère ne pouvait le lui rendre, il l'accusa de vouloir le voler. Puis, il exigea que son frère l'accompagne par-devant Rê le tout-puissant afin qu'il leur rende justice.

Quand les deux frères se furent prosternés devant Rê, qu'il leur eut demandé avec bienveillance ce qui les amenait, le plus jeune déclara :

— Seigneur tout-puissant, souverain des cieux, des vents, Rê, dieu des dieux, hier, j'ai prêté à mon frère mon poignard de cuivre et, à présent, il refuse de me le rendre. Il prétend l'avoir perdu. Je pense, moi, qu'il veut me le voler. Comment serait-il possible de perdre un poignard si grand que, quand sa poignée avoisine la montagne d'El, sa pointe touche au bois de Baktan ? J'accuse mon frère aîné d'être un voleur.

Rê le tout-puissant se tourna vers l'accusé :

— Est-il vrai que tu n'as pas rendu à ton frère le poignard qu'il t'avait prêté ?

— Tout-puissant Rê, c'est vrai que j'ai emprunté hier à mon frère son poignard, mais il a disparu pendant la nuit et c'est en vain que je l'ai cherché ce matin. Comment pourrais-je rendre ce qui n'est plus en ma possession ? se défendit l'aîné. Et s'il était aussi grand que le dit mon frère, comment serait-il possible de le cacher ?

— Il aurait pu le déposer dans le Nil ! répliqua vivement le cadet.

— As-tu emprunté le poignard ? demanda Rê encore une fois.

— Je le lui ai emprunté, répondit le malheureux jeune homme.

— Alors, tu le lui as volé ! tonna Rê. Voler son frère est un affreux péché. Quelle punition réclames-tu ? reprit Rê en se tournant vers le plaignant.

— Qu'on prive mon frère de la vue et qu'il serve chez moi comme portier ! répondit le cadet.

— Qu'il en soit ainsi ! décida Rê le tout-puissant.

Le jeune frère, ce menteur misérable, était persuadé que la jeune fille ne pourrait continuer à aimer un aveugle et qu'il pourrait ainsi la prendre pour épouse. Mais la jeune fille fut fidèle au pauvre aveugle. Elle s'occupa de lui avec tendresse, soulagea ses souffrances et prépara leurs noces.

Quand le jeune frère apprit ces préparatifs, il se mit en fureur comme un taureau sauvage. Il ordonna à ses serviteurs d'emmener le portier dans le désert et de l'offrir comme proie aux lions. Et, pour preuve qu'ils avaient bien rempli leur mission, ils devaient rapporter les os de la victime.

Mais les serviteurs eurent pitié du malheureux. Ils le conduisirent en cachette au domicile de sa fiancée et supplièrent la jeune fille de s'enfuir avec l'aveugle, la nuit même, vers le sud. Ils apportèrent à leur maître les os d'un criminel qu'on avait pendu et qu'ils avaient achetés au gardien du cimetière. Le jeune frère, persuadé que son aîné avait cessé de vivre, se mit à la recherche de la jeune fille, mais en vain : elle avait disparu. Aucun de ses voisins ne pouvait dire où elle était passée, il semblait que la terre l'eût engloutie.

Cependant, les deux fiancés s'étaient installés dans le sud de l'Égypte, ils s'étaient construit une belle maison et y avaient célébré leur mariage. Bientôt, il leur naquit un fils. C'était un bel enfant vigoureux. En grandissant, il se révéla également intelligent et comblé de dons. En classe, il apprenait mieux que tous ses camarades et bientôt il surpassa ses maîtres en écriture et en art militaire.

L'enfant aimait très tendrement ses parents, surtout son malheureux père ; il lui portait la nourriture que cuisinait sa mère et lui préparait ses boissons.

Les années passèrent et l'enfant devint un beau jeune homme. Un soir, alors que le père se reposait, son fils, assis à ses pieds, lui demanda :

— Mon père, qui t'a privé de la vue ? Je voudrais en tirer vengeance !

— Mon jeune frère, répondit le père. Et il raconta à son fils sa triste histoire.

Aussitôt, le jeune homme se mit en route ; il emporta dix miches de pain, une dague acérée, chaussa ses sandales et prit la canne du pèlerin, il emmenait avec lui un taureau vigoureux. Il chemina longtemps et arriva enfin dans une prairie où le berger de son oncle félon gardait un troupeau de taureaux. Il lui dit :

— Prends ma canne, mon outre, ma dague et surveille mon taureau jusqu'à ce que je revienne de la ville.

Les lunes se succédaient, mais le jeune homme ne revenait pas. Le berger, pendant tout ce temps, prenait bien soin de la bête de l'étranger.

Un jour, le jeune frère alla aux champs pour admirer ses grands troupeaux. Il vit un taureau particulièrement beau et fort et dit à son berger :

— Amène-moi demain ce taureau, j'en ferai mon dîner.

— Il ne nous appartient pas, je ne peux te le donner.

— Tu sais bien que tous ces animaux m'appartiennent. Je te les ai confiés et tu les fais paître sur mes terres. Ce taureau m'appartient donc, répondit le maître.

En ville, le jeune homme apprit que son oncle s'était emparé de son taureau et revint trouver le berger.

— Où est mon taureau ? demanda-t-il. Je ne l'ai pas vu dans le troupeau !

— Je ne l'ai plus. Mon maître l'a fait abattre. Choisis-en un autre dans le troupeau.

— Quel autre de ces animaux pourrait reposer ses pattes de devant sur l'île d'Amon, tandis que sa queue toucherait au lac des Souchets ? Et quel autre pourrait, en un jour, engendrer soixante veaux ? Aucun de tes taureaux n'est aussi grand que ne l'était le mien !

— Tu te moques ! répondit en riant le berger. Aucun animal n'a la taille que tu prétends.

Le fils demanda au berger de le conduire auprès de son maître. Et le même jour, le jeune homme et son oncle allèrent se prosterner devant Rê, le tout-puissant, et lui demandèrent son arbitrage.

Rê déclara :

— Jamais encore je n'ai vu un taureau de cette taille !

— Et avais-tu vu, souverain seigneur de ce monde, un poignard de cuivre aussi grand que celui dont, il y a des années, t'a parlé mon oncle félon ? demanda le jeune homme. Rends-moi justice, ô grand Rê, car sache que je suis le fils de l'aveugle. J'ai juré de venger mon père ! Rends le même jugement que celui que tu as rendu alors. Je t'en prie, sois équitable !

— Hé bien, homme, demanda Rê au frère cadet, qu'en dis-tu ?

Celui-ci essaya de se justifier par tous les moyens mais, quand il vit que ses discours n'avaient aucun résultat, il déclara :

— Sache, tout-puissant maître du monde, que mon frère est mort il y a bien des années. Il ne compte plus au nombre des vivants depuis bien avant que ce misérable menteur soit né. Mais, s'il est encore en vie, comme le prétend ce coquin, que mes serviteurs me privent de la vue et que je devienne portier dans sa demeure.

C'est ce qu'attendait le jeune homme. Il ne perdit pas de temps et alla quérir son père aveugle qu'il amena devant Rê le tout-puissant.

Dès que Rê l'aperçut, il déclara :

— Je te reconnais, homme courageux et honnête ! Pardonne-moi d'avoir rendu un jugement trop prompt. Pour racheter le tort cruel que je t'ai fait, je te rends la vue et, en même temps, la force de la jeunesse. Quant à toi, misérable traître, reprit le maître du monde en se tournant vers le frère cadet, je te livre à mes fidèles serviteurs. Qu'ils t'administrent cent coups de bâton, qu'ils te crèvent les yeux et qu'ils te conduisent à la demeure de ton frère aîné ! Jusqu'à la mort, tu le serviras comme portier. J'ai dit !

C'est ainsi que le courageux jeune homme vengea son père et punit son oncle félon et cruel.

Et, comme beaucoup de gens étaient semblables au mauvais frère, comme il voyait parmi eux un grand nombre de menteurs et de coquins, Rê le tout-puissant s'abandonna à un juste courroux et quitta le séjour terrestre pour se réfugier dans les cieux qu'il parcourt depuis ce jour, dans sa nef d'or.

LE NAUFRAGÉ DE L'ILE DES MERVEILLES

Un jour, au temps où les serpents avaient un roi qui parlait le langage des hommes, des chars ployant sous un riche chargement s'arrêtèrent devant le palais du grand pharaon. Un inconnu, vêtu comme un marchand, se présenta à l'intendant du palais.

— Digne seigneur, dit l'homme quand les serviteurs l'eurent amené devant l'intendant, j'apporte à ton souverain, le glorieux pharaon, les richesses de l'île des merveilles, le cadeau fabuleux du roi de tous

les serpents. Je m'adresse à toi afin que tu me conduises devant notre roi pour que je lui relate mon étrange aventure et que je lui transmette le salut du serpent roi.

— Tu es un homme audacieux, étranger ! répondit l'intendant du palais. Tu me plais ! Je crois vraiment que tu apportes de précieux cadeaux et les salutations du serpent roi. Mais, sache que le temps de notre souverain est compté. J'écouterai moi-même d'abord ton récit et, s'il est aussi fabuleux que tu le prétends, je te conduirai devant le pharaon.

— Il y a environ six mois, commença le voyageur, que je quittai les rivages de l'Égypte. Je partis en mer sur ordre du pharaon pour visiter la vallée des rois, loin, au sud de notre pays. J'avais un fier vaisseau, et les cent vingts meilleurs matelots d'Égypte avaient embarqué à son bord. Leur cœur était plus audacieux que celui du lion et leur fidélité ne se serait laissée acheter ni par tout l'or du monde ni par les pierres les plus précieuses. Ils savaient prévoir la tempête même quand le ciel resplendissait et annonçaient les vents et la pluie avant qu'on n'en voie le moindre signe.

Nous avons navigué pendant des jours, nous avons navigué pendant des semaines, et le temps nous était favorable. Mais, un jour la tempête s'annonça. Nous n'eûmes pas le temps de gagner un rivage et l'ouragan nous entraîna vers la haute mer. Nous nous battîmes comme des lions contre les éléments déchaînés, mais en vain. Sous les grondements terrifiants du tonnerre, les flots submergèrent notre vaisseau et tous les matelots se noyèrent. Moi seul fus sauvé par miracle. Je saisis un morceau de bois et je m'y cramponnai avec l'énergie du désespoir. Le matin, le ressac me déposa, épuisé et trempé jusqu'aux os, sur un rivage inconnu.

Je restai trois jours, gisant sous les branches des arbres, si recru de fatigue que je ne pouvais faire un mouvement. Mes seuls compagnons dans cette affreuse solitude étaient les branches des arbres qui me protégeaient des ardeurs du soleil et mon cœur qui me retenait à la vie. Finalement, la faim et la soif me donnèrent la force de me lever pour inspecter l'endroit. Je me trouvais sur une île entourée de tout côté par une mer immense. Par bonheur, les fruits y étaient abondants sur les figuiers et sur les hauts palmiers. Tous ces fruits mûrs embaumaient. Je trouvai, sortant de terre, de grosses pastèques et des concombres comme on n'en vit jamais. Les rivières étaient pleines de poissons et, dans les airs, des milliers d'oiseaux bariolés faisaient entendre leurs chants harmonieux. Des fleurs merveilleuses et des plantes magnifiques parsemaient l'herbe verte. Et, nulle part, la moindre trace d'être humain pour cultiver ou récolter toutes ces richesses.

Je cueillis des fruits jusqu'à ce que j'en aie les mains pleines et je m'en rassasiai. Puis, j'allumai du feu: je voulais, en effet, présenter une offrande à Rê le tout-puissant pour le remercier d'avoir épargné ma vie.

Tout à coup, j'entendis derrière moi un terrible grondement. Je crus que c'était le fracas du tonnerre et le bruit des vagues. Je pensai qu'un nouvel ouragan s'annonçait. Les arbres frémirent et craquèrent et la terre trembla sous mes pieds. Terrifié, je me cachai le visage dans les mains. De ma vie, je n'oublierai la peur que j'éprouvai quand j'écartai les mains. Je vis un serpent monstrueux qui s'avançait vers moi. Il mesurait au moins trente aunes et portrait une barbe interminable. Son corps puissant était couvert d'écailles dorées, ses yeux étincelants étaient bordés d'autres écailles d'un bleu clair. Je me jetai à plat ventre sur le sol, n'osant plus respirer. Le serpent encercla le lieu où j'étais étendu, dressa au-dessus de moi sa tête et siffla :

— Qui t'a amené ici, petit homme ? Réponds-moi : Qui t'a indiqué le chemin de mon île ? N'aie pas peur et dis-moi la vérité. Sinon, je te réduirai en cendres et plus personne ne te reverra vivant ! Parle ! Le Roi de tous les serpents attend ta réponse.

La terreur arrêtait les mots dans ma gorge. Alors le monstre ouvrit sa gueule, il me saisit entre ses crocs et me traîna avec précaution dans sa grotte. Là, il me déposa sur le sol. J'étouffais d'angoisse ! Pourtant, j'étais sain et sauf.

Le serpent ouvrit encore la gueule et il me demanda :

— Qui t'a amené ici ? Dis-moi qui t'a amené sur mon île alors qu'elle est de toute part entourée d'eau ?

Je m'efforçai de vaincre mon effroi, je me prosternai devant lui, frappai la terre de mon front et lui contai mon aventure.

— Ne crains rien, petit homme ! dit alors le serpent. Ne crains rien ! Chasse la pâleur de ton visage et reprends tes esprits. Tu es venu jusqu'à moi et je t'épargnerai. Remercie Rê le tout-puissant qui t'a conduit sur l'île merveilleuse d'abondance. Ici sont amoncelés tous les trésors et toute la richesse du monde. Écoute : voici quel sera ton destin. La lune succédera à cette lune et, quand son dernier quartier brillera, un vaisseau arrivera venant de ton pays et, à son bord, tu trouveras des matelots que tu connais. Tu retourneras chez toi où tu retrouveras ta femme et tes enfants et c'est dans ton village que tu achèveras ta vie. Que je te dise mon malheur qui est semblable au tien. Jadis, je ne vivais pas tout seul sur cette île. J'avais avec moi mes frères, mes sœurs, nos enfants, tous de la royale tribu des serpents qui parlent la langue des hommes. A tous, je préférais ma fille la plus jeune. Elle était tout pour moi, elle était la joie de mon cœur !

Un jour que, de l'autre côté de l'île, j'examinais nos trésors, je vis dans les cieux une gigantesque langue de feu qui se précipita sur l'île. Je me hâtai pour retrouver ceux que j'aimais, mais j'arrivai trop tard. Des cieux était tombée une étoile de feu et ses flammes avaient consumé tous mes compagnons. Je crus mourir de douleur quand je ne retrouvai d'eux qu'un petit tas de cendres. Pourtant, je survécus à mon chagrin. Et toi aussi, tu surmonteras ton chagrin et ta douleur, si tu as du courage. Pleure tes malheureux compagnons, mais réjouis-toi de retrouver bientôt ceux qui te sont chers. Crois-moi, tu pourras à nouveau embrasser ta femme et tes enfants et tu reverras la maison où tu es né.

Je remerciai le serpent de ses paroles bienfaisantes, je me prosternai en signe d'hommage et je lui dis :

— Je conterai ton histoire au glorieux pharaon, souverain d'Égypte et maître du monde ! Je lui parlerai de ton île des merveilles et de ta bonté, de ta générosité et de ton courage. Puis, je chargerai un navire d'huiles odorantes, de parfums, d'onguents, d'encens et de tous les trésors de l'Égypte et je te les enverrai comme au meilleur ami de l'Égypte, que les Égyptiens n'ont jamais vu, mais qu'ils aiment et qu'ils admirent. Et je tuerai des taureaux et d'autres animaux que j'offrirai à Rê afin qu'il te protège et te chérisse.

Le serpent sourit et répondit :

— Je t'ai dit que mon île est le séjour de l'abondance. Elle recèle tous les fruits de la terre, toutes les plantes utiles, toutes les bêtes et toutes les pierres les plus précieuses. Dans les vastes entrailles de son sol sont réunies toutes les richesses du monde. Pourquoi porter les richesses de ton pays dans cette île lointaine ? Autant offrir à la mer une goutte d'eau ! Et c'est en vain que tu chercherais à revenir ici. Jamais tu n'en retrouveras le chemin. Moi, je m'enfoncerai dans les profondeurs pour retrouver la nation des serpents. L'île s'engloutira dans les flots pour n'en plus émerger. Jamais.

Au début, je connus sur cette île un bonheur sans nuages. J'y trouvais des douceurs dont je n'avais jamais rêvé. Chaque jour, je me baignais dans une eau azurée, me dorais au soleil et je me reposais à l'ombre des grands arbres. Je me nourrissais des fruits succulents que donnaient toutes sortes d'arbres. Le soir, je préparais de délicieux dîners avec la viande des bêtes que j'avais chassées. Pourtant, la solitude finit par me peser. Comme j'aurais voulu parler à quelqu'un, voir un visage humain ! Je soupirais après ma patrie. Je brûlais du désir d'embrasser ma femme et mes enfants !

La lune succéda à la lune et, plus temps passait, plus je grimpais sur l'arbre le plus haut, surveillant l'horizon pour y guetter l'arrivée d'un vaisseau. Enfin, après un temps très long, j'aperçus un vaisseau. J'escaladai mon arbre vivement pour faire des signaux. Le vaisseau se dirigeait droit sur l'île. Bientôt, je pus reconnaître le visage des matelots. Je redescendis de mon arbre pour aller annoncer la nouvelle au serpent.

— Je sais ce que tu veux me dire, petit homme, dit le roi serpent. Tu as vu un vaisseau qui vient de ton pays et tu as reconnu quelques-uns de tes amis. Je te souhaite un retour favorable. Salue pour moi le glorieux pharaon et ta terre natale. Et maintenant, viens avec moi !

Il rampa devant moi, son corps plein de vigueur me traçait un chemin parmi les roches et les buissons jusqu'à l'autre côté de l'île. Nous fîmes halte devant un énorme rocher et le serpent émit trois sifflements stridents. La roche s'entrouvrit et dévoila l'entrée de la grotte aux trésors. La grotte était immense et ses parois étincelaient d'or, d'argent et de pierres précieuses. Ses vastes salles souterraines recelaient toutes les richesses dont on aurait pu rêver. Le serpent me fit cadeau de myrthe, d'huiles odorantes, d'encens rares, de précieux onguents, de teinture pour les yeux, de queues de girafes, de défenses d'éléphants, de bois précieux et de fourrures. Il y ajouta une meute de lévriers et des troupeaux de paons et de singes. Je me prosternai devant lui et le remerciai pour tous ces trésors.

— Deux mois encore, et tu retrouveras ta demeure, et tu embrasseras ta femme, tes enfants, et ton cœur sera plein de joie. Quand tu mourras, tes enfants t'enseveliront dans ton sol natal, dit le serpent roi.

Je fis mes adieux au généreux serpent et chargeai mes trésors sur le navire. Nous partîmes et je restai à faire des signes au serpent roi jusqu'à ce que les vagues me cachent l'île et qu'elle disparaisse à ma vue.

Nous avons navigué pendant deux mois en direction du nord et nous avons enfin touché au rivage d'Égypte. Dès que j'eus débarqué, je chargeai mes trésors et me précipitai vers vous dans notre capitale.

Je t'en prie, digne seigneur, conduis-moi au glorieux pharaon qu'il vive et demeure vivant éternellement et à jamais. Je veux lui conter mon aventure et déposer à ses pieds les présents merveilleux du serpent roi.

— Tu m'as conté, voyageur, une incroyable histoire qui réjouira sûrement le cœur du glorieux pharaon, reprit l'intendant du palais.

Suis-moi et sois assuré que notre souverain te récompensera avec générosité.

Pharaon écouta, fasciné, le récit de cette surprenante aventure. En récompense de ses fidèles services et des trésors qu'il rapportait, le souverain donna au navigateur une maison dans le palais et la haute dignité de commandant de la flotte.

Pourquoi s'abandonner au chagrin
Et se laisser gagner par le désespoir !
Un homme digne de ce nom
Doit aller de l'avant
D'un cœur ferme et confiant
Croire au bonheur, à l'amour,
A un heureux destin pour lui et ses enfants !
Pleurs et gémissements
N'ont jamais porté chance.

LE LOTUS ET LE PAPYRUS

Aux temps où nos ancêtres croyaient que les hommes, après leur mort, se réincarnaient dans un animal, une plante ou un arbre, vivait dans un bois ombreux des bords du Nil un vieux jardinier.

Auprès de sa demeure, il avait un jardin qui débordait des plus belles fleurs et embaumait des parfums les plus doux. Il y poussait des palmiers, des vignes, des oliviers, des figuiers, des cyprès, des orangers et des grenadiers. Tout ce dont Rê le tout-puissant a gratifié la terre d'Égypte y poussait et y fleurissait.

Le jardinier cultivait son jardin depuis cent ans, il pleurait trois épouses, mais Rê le tout-puissant lui conservait la vie. On eût dit que la mort l'avait oublié. Pourtant, le vieillard aurait aimé connaître une autre vie.

Sa dernière épouse lui avait donné deux filles. Elles étaient si belles qu'on en parlait loin à la ronde et que les prétendants se succédaient dans leur demeure. La renommée des belles jeunes filles parvint jusqu'à la cour du glorieux pharaon.

Si bien qu'un jour les courtisans du pharaon se présentèrent à la chaumière du jardinier pour voir ses filles. Dès qu'ils les eurent aperçues, ils prièrent le vieillard qu'elles puissent les suivre à la cour du pharaon où elles deviendraient les servantes de son épouse. Mais les jeunes filles étaient heureuses dans leur univers fleuri et elles s'occupaient avec tendresse de leur père qui leur enseignait son art.

Nul ne sait comment s'y prit le vieux jardinier pour expliquer aux envoyés du pharaon que ses filles resteraient avec lui. Ceux-ci s'en retournèrent, très étonnés que le vieillard ait repoussé une pareille chance. D'autres étaient venus vers eux, les avaient priés et auraient tout donné pour que leurs filles soient reçues à la cour.

Vint l'automne. C'est le temps où le Nil quitte son lit et couvre de ses eaux les rives et les champs. La crue du Nil signifie abondance et richesse pour tout le pays. Cette année, par malheur, le Nil déborda

peu. La population invoqua Rê le tout-puissant, le priant d'alimenter les sources du fleuve, mais ce fut sans succès. Le Nil ne grossit pas d'un pouce.

Les prêtres expliquèrent aux paysans que Khnoum le puissant dieu, fils de Rê, dont le séjour est sur le Nil, désirait que les hommes lui fissent offrande.

Les prêtres et les savants égyptiens décidèrent qu'il fallait offrir à Khnoum une jeune fille, la plus belle qu'on pût trouver dans la vallée du Nil, pour qu'il redonne aux hommes ses bienfaits. Ils se souvinrent du vieux jardinier qui avait osé refuser de laisser venir ses filles à la cour. Cette fois, il ne pourrait se dérober. Ils vinrent donc chez le vieillard et emmenèrent la plus jeune de ses filles. L'aînée courut derrière eux et les supplia de la laisser accompagner sa sœur. Le vieux jardinier suivait en gémissant le sinistre cortège.

Le peuple, déjà, s'était rassemblé sur la rive. Au sommet d'un rocher qui dominait le Nil, les prêtres et les sages chantaient un hymne à la gloire de Khnoum, le puissant :

— Salut à toi, ô Khnoum, grand et puissant ! Et le chœur des gens assemblés reprenait :

— Salut à toi, ô Khnoum, grand et puissant ! Toi qui, chaque année, nous apportes vie et richesse ! Montre-nous un visage souriant, donne-nous confiance à nouveau dans la vie et dans le bonheur !

Les prêtres et les sages répétèrent trois fois leur chant de grâce, étendirent leurs mains au-dessus du fleuve, puis ils restèrent immobiles, comme pétrifiés.

La fille cadette était étendue sur une saillie de rocher et sa sœur la serrait dans ses bras. Le grand-prêtre s'approcha d'elle, leva son bras vers le ciel et reprit ses incantations. Puis, s'avancèrent des esclaves pour porter la jeune fille au bord du rocher. Mais, voyant que les deux enfants étaient mortes, ils s'arrêtèrent. Ils n'observèrent pas deux petites pousses vertes qui étaient apparues parmi les pierres.

Le peuple se dispersa. Les prêtres et les sages quittèrent, à leur tour, la place.

— Le puissant Khnoum a accepté l'offrande ! criait le peuple.

Le jardinier emporta dans son jardin les corps de ses deux filles et il les enterra, portant sa douleur. Il planta sur leur tombe les plus belles fleurs de son jardin.

Quel ne fut pas son étonnement quand, le lendemain matin, il vit sur la tombe de la plus jeune une fleur qu'il ne connaissait pas ! Blanche comme la neige, elle semblait un très grand lys. De partout, on vint pour s'incliner avec respect devant cette fleur inconnue. Les sages vieillards lui donnèrent le nom de lotus.

Sur la deuxième tombe, celle de la fille aînée, poussa une jolie plante qui ne portait pas de fleurs, mais une couronne de clair feuillage. Les sages lui donnèrent le nom de papyrus. De ses feuilles, ils firent des rouleaux sur lesquels ils consignèrent leurs écrits.

LE PAYSAN QUI DEVINT PHARAON

Au temps où, depuis longtemps déjà, le vent parcourait le désert, vivaient dans notre pays deux frères ; l'aîné se nommait Anoup et et le second Bata.

Ils habitaient seuls dans une pauvre maison faite de bois et d'argile, à l'écart d'un village, bien loin de la ville superbe du pharaon. Ils avaient depuis longtemps enterré leur père et leur mère et Anoup, le plus âgé et le plus sage, veillait avec un fraternel amour sur Bata, son jeune frère.

Anoup et Bata étaient des paysans. Du matin au soir, ils travaillaient dans leur petit champ. Sous le soleil brûlant, ils suivaient leurs bœufs, fendant la terre noire de leur araire et ils semaient dans les sillons l'orge, le blé, les navets, le millet, les pois ou bien les fèves.

Après les semailles, ils actionnaient la pompe à eau. Tous les jours, ils creusaient des rigoles afin d'apporter à leur champ l'eau du grand canal et ils arrosaient sans relâche. Ils semaient deux fois par an, puis ils engrangeaient deux récoltes.

Les deux frères devinrent des hommes. Anoup se laissa ensorceler par les yeux noirs de la svelte et charmante Nedjemet, fille d'un paysan qui habitait sur l'autre rive du Nil et l'amour lui tourna la tête.

Ainsi, un jour, Anoup monta dans sa barque, traversa le Nil et alla trouver le père de la séduisante Nedjemet. Il apportait en cadeau un panier de volailles, un chevreau nouveau-né, un sac de grains et il lui demanda la main de sa fille. Le père ne se fit pas prier et accepta les cadeaux.

Le lendemain, dans la douceur du soir, quand les étoiles scintillantes mènent leur ronde dans les cieux obscurcis, Anoup fit entendre son chant d'amour :

Ton amour m'attend de l'autre côté du Nil,
Je ne redoute plus les crocodiles,
Je bondirai sans peur dans le fleuve
Et les flots me porteront vers toi.
Quand je te vois approcher,
Mon cœur danse de joie,
Mes bras veulent t'étreindre !
Accueille-moi sans crainte !

Pourtant, ce chant d'amour ne charmait pas le cœur de Nedjemet : le chanteur ne lui plaisait pas. Il lui semblait trop vieux et trop sérieux. Il était de petite taille, ses épaules tombaient et il était si maigre sous le pagne qui lui ceignait les reins qu'on aurait pu compter ses côtes.

Si seulement Bata, son jeune frère avait chanté ainsi de sa voix de velours … Elle aurait retenu son souffle, son cœur aurait vibré sous l'émotion. Avec quelle impatience aurait-elle attendu son baiser !

Souvent, elle le regardait quand il ramenait ses bœufs du pâturage, souvent elle l'écoutait quand il chantait en cheminant. Bata avait la beauté qui plaît aux jeunes filles dès le premier regard. Il portait toujours un pagne blanc, sa taille était mince et ses épaules larges, ses muscles puissants se dessinaient sous sa peau brune.

Pourtant, que pouvait-elle faire puisque son père l'avait promise à Anoup ? Tout était décidé. Ils avaient deja convenu du nombre de pièces d'or qu'Anoup paierait à son père, du nombre de mesures d'orge, de froment, de millet qu'il devrait apporter, du taureau ou de la génisse qu'il donnerait pour commencer. Ils avaient décidé même du jour des noces, sans consulter la pauvre Nedjemet !

Anoup étant le fils aîné, il héritait de tout le bien de ses parents: les animaux domestiques, la maison, les meubles et les outils, l'étable et aussi le champ. Et, quand le père de Nedjemet mourrait et qu'ils hériteraient, ses champs s'ajouteraient à celui d'Anoup qui allait devenir le plus riche cultivateur de la contrée. Quant à Bata, il continuerait à travailler chez son frère pour le logement et la nourriture. Un garçon si pauvre ne pourrait jamais payer la dot pour avoir une femme et devrait vivre dans l'étable. C'est pourquoi Nedjemet n'avait pas osé parler à son père de son inclination pour Bata.

Et Bata ne faisait pas attention à elle, pas une fois il ne lui avait souri, jamais il ne lui avait accordé un regard. Sans doute ne savait-il même pas que Nedjemet existait, qu'elle habitait sur l'autre rive et que son frère l'avait demandée en mariage. Il ne s'occupait que de ses bœufs et de son champ.

Non, Anoup, décidément, ne plaisait pas à Nedjemet ! Mais, quand elle serait sa femme, elle verrait Bata tous les jours. Elle vivrait auprès de l'homme qu'elle aimait.

La vie des deux frères changea après les épousailles. Ils ne devaient plus aller à la rivière avec les lourdes amphores pour chercher l'eau, ils ne devaient plus moudre le grain ni, le soir, laver et raccommoder leurs vêtements.

Nedjemet préparait des repas savoureux dont l'arôme se mêlait aux effluves des fleurs qui ornaient la maison. Chaque soir, les deux frères buvaient du vin rouge, léger et parfumé comme le souffle du printemps.

Puis, Nedjemet prenait son luth pour en tirer de douces mélodies qui rendaient le sommeil profond et reposant. Le soleil se levait tôt le matin. Un travail dur et harassant attendait les deux frères dans les champs.

Bata, qui travaillait avec acharnement, était loyal et bon, il avait le cœur généreux. Dans le plus profond dénuement, il était toujours prêt à aider autrui. Le grand Rê chérissait cet homme courageux et honnête. Il résolut de le récompenser. Une nuit, Bata fit un rêve étrange. Un vieillard à la barbe et aux cheveux blancs lui apparut, qui lui dit :

— Sache, Bata, que je suis Rê, le tout-puissant, ton seigneur. Je veux récompenser ton ardeur au travail et ton courage. Dis-moi ce que tu désires et j'exaucerai tes souhaits.

Sans hésiter, Bata répondit :

— Je souhaiterais comprendre le langage de mes bœufs, mes plus fidèles amis et pouvoir aussi leur parler.

— Dès demain, tu comprenderas le langage des bœufs ! répondit le vieillard et il disparut.

Il en fut ainsi ; dès le lendemain, Bata comprit ce que disaient ses bœufs et put parler avec eux.

Les bœufs aimaient Bata. Comme il travaillait avec eux, il écoutait attentivement ce qu'ils se disaient. Il les entendit raconter en quel lieu on trouvait une herbe abondante et savoureuse. Il les conduisit où ils voulaient aller et les bœufs grandissaient, prospéraient, accomplissaient à merveille leur tâche.

Vint le temps où le Nil sort de son lit et féconde la terre. Dès que les eaux se furent retirées et que la terre commença à s'assécher, les frères préparèrent leur araire de bois et leur attelage. Ils labourèrent et semèrent le grain qu'ils portaient dans des sacs de chanvre.

Les sacs se trouvèrent vides alors qu'une grande partie du champ n'était pas encore labourée. Anoup dit à son frère de retourner à la maison pour demander à Nedjemet d'aller chercher au grenier la semence dont ils avaient encore besoin.

— Mon frère aîné, Anoup, notre seigneur et notre nourricier te salue, dit Bata à Nedjemet. Nous n'avons plus de semence. Va me chercher au grenier trois mesures de blé et deux mesures d'orge.

Le cœur de Nedjemet sauta de joie, ses yeux étincelèrent de bonheur. Elle tendit à Bata la clé du grenier et lui dit d'une voix émue:

— Ouvre le grenier, Bata, et prends tout ce dont tu as besoin. J'arrive tout de suite.

Bata ouvrit le grenier emplit ses sacs, se retourna et se figea de de surprise. Devant lui, se tenait Nedjemet, belle, svelte, vêtue d'une tunique transparente qui lui tombait jusqu'aux talons.

— Bata, cher Bata, murmura-t-elle, il y a bien longtemps que je t'aime. Comme une fleur du désert soupire après l'eau bienfaisante, je soupire après ton amour. Viens avec moi à la maison !

Bata repoussa brutalement Nedjemet et cria:

— Comment peux-tu avoir l'audace de prononcer ces paroles ? Tu es la femme de mon frère ! Mon frère qui a pris soin de moi comme si j'avais été son fils ! Il t'aime et je ne veux pas voir détruire son bonheur !

Puis il empoigna son sac de grain, le prit sur ses épaules et s'en retourna lentement vers son frère.

Il arriva aux champs triste et abattu. Il pensait que Nejdemet était une femme perverse et pleine de fausseté. Quand Anoup était là, elle feignait de le chérir mais, dès qu'il s'éloignait, elle ne se souciait plus de lui.

Le soleil déjà se cachait derrière les collines de l'ouest quand les frères eurent fini de tracer et d'ensemencer le dernier sillon.

— Je rentre, dit Anoup. Nettoie notre rateau, cache-le en lieu sûr, puis abreuve les bœufs et ramasse le reste de grain. Ne tarde pas, rappelle-toi que des brigands rôdent aux alentours.

Anoup, content que la journée soit finie, se dirigeait joyeusement vers sa demeure. Mais, il ne trouva pas Nedjemet. Elle ne l'attendait pas comme elle faisait d'habitude, le saluant et lui lavant les mains avant qu'il n'entre dans la maison brillante de lumière. Agité par la crainte, il se précipita à l'intérieur et alluma la lampe à huile. Nedjemet gisait sur sa couche, échevelée, le visage couvert de boue et la poitrine ensanglantée.

— Qui t'a fait cela, Nedjemet ? s'écria Anoup. Qui t'a si cruellement blessée ?

— Qui serait-ce sinon ton jeune frère Bata ? Quand il est venu chercher du grain, il m'a brutalisée. Comment oses-tu te conduire ainsi ? lui ai-je dit. Avec moi qui suis la femme de ton frère aîné qui t'a élevé et qui a toujours pris soin de toi comme un père !

A peine avais-je prononcé ces mots, qu'il s'est mis à me frapper comme un fou, il m'a traînée par le cheveux et m'a frappée avec ces débris de cruche ! Je suis malade à mourir. Anoup, tire vengeance de ma honte et de mes souffrances !

Anoup devint fou de rage comme un léopard des montagnes. Il saisit son javelot acéré et se cacha derrière la porte de l'étable pour attendre le retour de son frère qui ramenait les bœufs.

Quand le premier bœuf entra dans l'étable, il vit Anoup, les yeux pleins de haine et le javelot à la main, et il avertit Bata :

— Bata, ton frère est derrière la porte, le javelot à la main !

— Fuis, Bata ! s'écria le second. Fuis, ami ! Ton frère pointe son javelot contre toi !

Bata regarda sous la porte et vit les pieds de son frère. Il jeta son panier d'herbe, son fagot de ramilles et prit la fuite. Anoup le poursuivit le javelot à la main.

Si Bata était plus rapide, son frère était plus endurant. La distance entre eux diminuait. L'infortuné Bata se sentait faiblir. Il leva ses regards désespérés vers le soleil et implora Rê le tout-puissant de lui venir en aide.

Un fleuve plein de crocodiles surgit entre les frères, qui les sépara. Ils s'arrêtèrent et ils se regardèrent dans les yeux, par-dessus la rivière.

— Pourquoi me menaces-tu, mon frère ? cria Bata. Veux-tu donc me tuer ? Sache que je ne t'ai jamais causé aucun tort !

— Malheur à toi, misérable félon ! répondit Anoup. Tu as insulté ma femme ! Tu as attaqué son honneur et tu l'as cruellement blessée. Elle qui t'aimait, elle qui était bonne avec toi !

— Frère, cria le malheureux Bata, je suis innocent ! Tu n'as écouté que Nedjemet et tu crois les paroles de cette femme perverse parce que sa beauté t'a ensorcelé !

Et Bata raconta comment les choses s'étaient passées, mais Anoup ne le crut pas.

— Pourtant ce fleuve est là, plein de crocodiles, qui prouve que je dis la vérité ! Rê le tout-puissant l'a jeté entre nous pour me protéger de ta fureur !

Anoup réfléchit un moment, il pensa à la bonne entente qui régnait entre son frère et lui, et le courroux l'abandonna.

— Pardonne-moi, mon frère ! Oublie cet instant de folie ! supplia-t-il. J'ai honte de m'être conduit de la sorte. Retournons chez nous et retrouvons notre amour fraternel.

— Non, frère, répondit Bata. Tu sais bien toi-même que c'est impossible. En un éclair, tu as oublié tout ce que j'avais fait pour toi. Un seul mensonge de ta femme a effacé tout mon amour et toute ma fidélité ! Va et prends bien soin de mes bœufs. Je ne puis plus vivre dans ta demeure. Ainsi en a décidé Rê le tout-puissant.

Mon vénéré protecteur m'enjoint de me rendre dans la vallée des cèdres. Là, je cacherai mon cœur et ma vie dans le feuillage de l'arbre le plus élevé. Tant que l'arbre demeurera vivant, je resterai en vie et personne ne pourra me faire de mal. Mais si quelqu'un l'abat, je me transformerai en statue de cire, je tomberai sur le sol comme une branche morte et je m'y endormirai d'un profond sommeil. Je serai en partie mort et en partie vivant.

Si, un jour, tu portes ta coupe à tes lèvres et que ta boisson s'y trouble, sache que cet instant fatal est arrivé, que ton frère Bata gît à moitié mort dans la vallée des cèdres. Hâte-toi et trouve ma fleur de cèdre, même si tu dois la chercher pendant sept longues années. Dès que tu l'auras, plonge-la dans une coupe d'eau de source fraîche et je reviendrai à la vie pour punir celui qui m'aura calomnié.

Anoup, désespéré, resta sur la rive à regarder son frère jusqu'à ce qu'il ait disparu à ses yeux. Puis, il regagna sa demeure dont il chassa sa perfide épouse. Il vécut seul désormais, attendant un signe de son frère.

Bien longue fut la route de Bata, lointaine la vallée des cèdres. Il traversa d'abord une région fraîche et herbeuse, puis il arriva au pays des sept bras de la rivière, où canaux et rigoles parcouraient une terre marécageuse. Il alla de ville en ville jusqu'à ce qu'il arrive au pied de montagnes escarpées. Il franchit les montagnes et s'offrit à sa vue une étendue de sable jaune et brûlant qui ondulait à l'infini comme des vagues. Pendant sept jours, Bata peina dans ce désert ; pendant sept jours, il endura la soif et la faim, avant d'apercevoir une large bande verte : c'était la vallée des cèdres. Loin derrière, dans une épaisse vapeur, se perdaient les flots bleus de la mer.

Il se précipita dans la vallée, se baigna dans un lac de forêt et but son eau pure et glacée. Puis il chercha le cèdre le plus haut et le plus puissant, y grimpa, s'ouvrit la poitrine, en sortit son cœur et le déposa dans la fleur la plus haute de l'arbre.

Tout près de l'arbre où il avait caché son cœur, Bata se construisit une maison, se fit un lit, une table, des chaises et un coffre en bois de cèdre. Chaque matin, quand apparaissait le soleil d'or, quand Rê le tout-puissant à bord de son esquif commençait son périple dans le ciel, Bata chantait cette antique chanson :

Salut à toi, ô soleil !
Salut à toi, ô Rê tout-puissant !
Tu baignes la terre de ta bienfaisante lumière
Et tu lui donnes la chaleur et la vie.
Tu es le créateur de toutes les merveilles,
Tu fais surgir le Nil des entrailles de la terre
Et tu fais couler ses eaux à travers le désert
Pour faire vivre les hommes
Car eux aussi, tu les créas.
Ô soleil, ô puissant, tout-puissant, Rê,
Sublimes sont tes pensées, maître éternel de l'univers !

Rê le tout-puissant chérissait Bata pour son honnêteté, son amour du travail et son courage. Quand il le vit toujours chagrin, souffrant de solitude, ses yeux se mouillèrent de compassion et, de l'un de ses yeux, s'échappa une larme transparente qui tomba sur la terre. Dès qu'elle eut touché le sol, elle se transforma en une jeune fille qui était la plus belle du monde. Bata resta sans voix quand il la vit s'élever de la terre.

— Je me momme Taichek, dit la jeune beauté. Mon père Rê, le souverain suprême, m'envoie à toi pour que je devienne ton épouse et règne sur ta demeure, Bata. Mène-moi à ton foyer et sois certain que je serai une épouse fidèle et dévouée.

Bata n'osait croire au miracle. Voici que devant lui se tenait la femme la plus charmante que le monde ait connu, fille de Rê le tout-puissant et celui-ci le priait de la prendre pour femme. Il se frotta les yeux, prit une profonde inspiration et lui dit :

— Sois la bienvenue en ma demeure. C'est avec joie que j'accomplis la volonté de ton père vénéré. Crois, douce Taichek, que je suis le plus heureux des hommes !

Car tu es la plus belle entre toutes les belles
Qui se mirent dans les eaux du Nil.
Tes cheveux sont plus noirs que la plume du corbeau,
Tes yeux plus doux que les yeux de la biche
Qui contemple le cerf de la forêt.
Tu es plus svelte que le svelte palmier
Et le lotus t'envie tes charmes !

Bata était plein de joie d'avoir à son foyer une épouse qu'il aimait tendrement et qu'il retrouvait chaque jour au retour de la chasse. Il rapportait son gibier à Taichek, lui parlait de ses chasses, de ses amis les bœufs, du dur travail des paysans, d'Anoup, son frère aîné et de l'événement pénible qui les avait séparés. Il lui révéla aussi qu'il avait caché son cœur dans la plus haute fleur du grand cèdre.

— Et si quelqu'un vient pour la dérober, je me battrai contre lui avec la fureur d'un léopard des montagnes, ajouta-t-il. Mais s'il réussit à abattre le cèdre, je tomberai comme une branche morte et je ne serai plus ni vivant ni mort. Seul, mon frère Anoup, s'il est persévérant et courageux, pourra me sauver.

Et il mit en garde sa femme bien-aimée pour qu'elle ne sortît jamais de la maison.

— Crains la mer, Taichek ; elle pourrait t'emporter, lui disait-il. Ou bien elle trahirait le secret de notre cachette et le malheur s'abattrait sur nous.

Le temps s'écoula comme l'eau dans la rivière. Il effaça de la mémoire de Taichek les avertissements de son époux. Un jour que Bata était allé chasser dans les montagnes, Taichek sortit pour se promener dans le bois de cèdres. Tout à coup, la mer s'enfla, une vague écumeuse déferla vers elle. Épouvantée, elle s'enfuit ; comme un éclair, elle se précipita vers sa demeure.

La mer la poursuivit en grondant comme la plus terrible des tempêtes.

— Attrape-la ! tonna la mer à l'adresse d'un cèdre.

L'arbre fit entendre un murmure comme s'il eut répondu à la mer et inclina son tronc jusqu'à terre pour barrer la route à la malheureuse ; il s'en fallut de peu qu'il ne l'emprisonnât dans son feuillage épais, mais elle eut le temps de pénétrer dans sa maison et de fermer la porte. Seul un petit rameau atteignit Taichek arrachant une boucle de sa chevelure. La mer s'empara de la boucle et l'emporta jusqu'au lavoir où les lavandières lavaient le linge du pharaon. Le linge, ce jour-là, dégageait un parfum enivrant. Le pharaon fit appeler le chef des laveurs et lui demanda d'où provenait ce parfum inconnu. Le malheureux laveur ne le savait pas. Jamais de sa vie, il n'avait respiré ce parfum enivrant et il n'avait pas la moindre idée de sa provenance. Le lendemain, tout embaumait ce parfum étrange et inconnu dans le palais.

Le lendemain, le laveur se rendit au lavoir, sans pouvoir découvrir rien de particulier. Seule une boucle de cheveux flottait à la surface. Étonné, il s'en empara, et comme elle sentait le parfum inconnu, il la rapporta au palais.

Le pharaon fit appeler tous ses conseillers, ses savants et ses mages et leur montra la boucle de cheveux. Conseillers, mages et savants la regardèrent, l'examinèrent, la tâtèrent. Ils hochèrent la tête et se livrèrent à de longs conciliabules. Puis, le plus ancien et le plus savant des magiciens tomba aux pieds du pharaon et dit:

— Notre maître, que tu vives et demeures éternellement et à jamais ! Sur le papyrus des sortilèges, il est inscrit que ces cheveux appartiennent à la femme la plus belle du monde, la fille de Rê le tout-puissant. Toi qui es le seigneur suprême sur la terre, il est bon que tu épouses la femme la plus enchanteresse.

— Et comment puis-je la trouver ? interrogea le pharaon.

— Seigneur et souverain suprême, envoie des serviteurs dans le monde entier. Qu'ils montrent à toutes les femmes cette boucle de cheveux. Même s'ils doivent explorer chaque pouce des terres habi-

tées et des terres inhabitées, qu'ils trouvent celle à qui elle appartient et qu'ils la ramènent !

Le pharaon écouta les conseils du grand magicien et fit ce qu'il lui avait dit. Bientôt, ses hommes d'armes partirent pour explorer le monde entier. Le temps passa et les soldats épuisés et désespérés, revinrent sans avoir rempli leur mission. Mais ceux qui s'étaient dirigés vers la vallée des cèdres ne revinrent jamais, car Bata les avait tous tués. Un seul en réchappa. Le pharaon fit appeler ce soldat et lui demanda de lui raconter ce qui s'était passé. Puis, il fit venir le magicien et le lui répéta.

— Maître et souverain du monde, ô le plus grand des rois ! répondit le magicien. Si cet homme est aussi fort que l'a raconté ce soldat, nous ne devons pas employer la force pour le combattre. La ruse seule pourra en venir à bout. Accorde-moi le temps de la réflexion si tu veux que je t'amène ici sa femme. Je vais chercher dans la bibliothèque tous les rouleaux de papyrus les plus secrets et j'y trouverai bien qui est ce héros et comment nous pourrons avoir raison de lui.

Un an et un jour plus tard, le magicien se présenta devant le pharaon et tomba à ses pieds :

— Parle ! dit celui-ci. Qui est notre ennemi ?

— C'est Bata, un fils de paysan. L'oracle dit qu'il te succédera sur le trône et deviendra roi de la Haute-Égypte et de la Basse-Égypte. Sa vie est cachée dans la fleur la plus haute du cèdre le plus élevé de la vallée des cèdres. Si on abat ce cèdre, Bata mourra. Nous ne pouvons permettre qu'un misérable paysan devienne le sublime pharaon, maître du monde.

— Tu as raison, répondit le pharaon, ce funeste oracle ne peut s'accomplir. J'ordonne que l'on abatte ce cèdre et que l'on m'amène la femme la plus belle du monde, fille de Rê le tout-puissant.

— Notre maître, ô le plus grand de tous, rassemble tes soldats et tes cavaliers avec leurs chars de combat et qu'ils m'accompagnent. Je ne veux pas tomber aux mains des brigands du désert ni être la proie des chacals affamés. Ordonne-leur d'écouter tous mes ordres et de m'obéir à l'instant.

— Prends tous les soldats que tu veux, pourvu que tu m'amènes cette femme !

Pourtant, le magicien n'avait pas révélé au pharaon que Bata était le favori de Rê qui le protégeait de son pouvoir surnaturel. Il ressentait une terrible haine pour ce simple paysan qui comprenait le langage des animaux, qui était immortel puisque son cœur était caché au sommet du cèdre le plus élevé. Ce genre de sortilèges lui était inconnu, à lui le plus savant des magiciens, le magicien du pharaon, Et pourtant, comme il était versé dans la magie ! Il savait changer un chat en souris, un poisson en oiseau, il pouvait déchiffrer les écrits les plus secrets sur les papyrus des sortilèges, il composait des liqueurs enivrantes qui plongeaient à l'instant celui qui les buvait dans un profond sommeil. Mais il ne pouvait comprendre le langage des animaux et n'avait pas pénétré le secret de l'immortalité.

Il était décidé à anéantir le bonheur de Bata coûte que coûte, à employer tous les moyens, dût-il en perdre la vie. Il attisa contre Bata la haine du pharaon, excitant sa fierté et son orgueil en lui faisant valoir que, lui, le souverain le plus puissant, devait avoir pour épouse la femme la plus belle du monde. Il n'eut pas de peine à convaincre son maître qui avait confiance en lui.

Le magicien s'en fut donc, quelques jours après, vers la vallée des cèdres, accompagné d'une importante troupe. Sur les flancs de ce bataillon, galopaient des chars de combat, cuirassés de plaques de fer et montés par des hommes d'armes munis de boucliers.

Ils franchirent les montagnes, traversèrent le désert et établirent leur camp près du bois. Le magicien se rendit seul à la demeure de Bata, emportant une coupe d'une liqueur magique qui procurait le sommeil, et une grosse corde. Quand il fut en vue de la maison, il prononça quelques paroles magiques et se changea en oiseau noir. Il battit des ailes, pénétra par la fenêtre et son cœur cruel frémit de joie. Bata et sa femme étaient étendus sur leur couche, profondément endormis. Il reprit sa forme de magicien, se précipita vers les dormeurs et leur versa sa liqueur narcotique dans la bouche. Puis, il s'empara de la jeune femme, la chargea sur son dos et s'en retourna bien vite vers le camp. Dès qu'il eut rejoint les soldats, il leur ordonna de prendre leur hache et d'abattre tous les cèdres des environs. Quand les soldats s'attaquèrent au plus élevé des arbres, Bata sortit de sa torpeur, se dressa sur son lit et voulut aller voir d'où provenait le bruit qu'il entendait. Tout à coup, se fit entendre un craquement, puis un grondement et un fracas assourdissant. Bata tomba sur le sol de sa maison et s'endormit d'un sommeil qui ressemblait à la mort.

Taichek dormit pendant dix jours et dix nuits. Quand elle s'éveilla, elle était étendue sur un lit moelleux, tendu de fines draperies. Le lit se dressait dans une pièce immense aux murs d'albâtre ornés d'images dorées et colorées qui représentaient des chasseurs poursuivant des bêtes sauvages. Une jeune fille, vêtue d'une longue tunique blanche la veillait.

— Éveille-toi de ton sommeil, gracieuse maîtresse, dit la jeune fille, et reviens à toi. Tu es dans le palais du pharaon, souverain suprême du pays d'Égypte. Viens te baigner dans l'eau de roses, tu enduiras ton corps de parfums capiteux et tu revêtiras une tunique de mousseline brodée d'or. Pharaon, notre maître vénéré, t'attend.

— Où est Bata, mon époux ? s'écria Taichek désespérée. Comment suis-je venue ici ?

— Je l'ignore, maîtresse. Je ne suis qu'une esclave et je suis ici pour te servir, répondit la jeune fille.

Quand elle se fut baignée, les serviteurs la conduisirent dans la salle d'audience du pharaon.

Pharaon était assis sur son siège royal, le regard fixé devant lui. Il portait une courte jupe de toile d'une extrême finesse, un mantelet jaune cachait ses épaules et sa tête était couverte d'une draperie rigide. Ses pieds, chaussés de précieuses sandales, reposaient sur un marche-pied. Tout rutilait d'or et de lapis-lazuli.

Taichek se prosterna et dit:

— Que désires-tu, glorieux Pharaon ?

— Je désire te prendre pour épouse. Tu es la fille de Rê, le tout-puissant et la femme la plus belle du monde. Je suis Pharaon, le plus puissant des souverains. Nous sommes destinés l'un à l'autre, répondit-il.

— Ne sais-tu pas, maître vénéré, que mon époux est le héros Bata qui habite loin, au-delà du désert, dans le bois des cèdres ? Il viendra pour me reprendre et me ramener dans sa demeure !

Puis, se retournant vers le magicien :

— Sache qu'un jour, mon époux te châtiera cruellement !

Le magicien pâlit de terreur, il se souvint qu'il manquait un morceau au rouleau de papyrus sur lequel était consigné l'oracle et il craignit que la femme de Bata eût prédit la vérité.

— Grand Pharaon, que tu vives éternellement et à jamais ! Ton magicien t'a donné de funestes conseils. Je ne puis devenir ton épouse. J'aime Bata, mon époux et je suis sûre qu'il viendra quelque jour me chercher. Laisse-moi, je t'en prie, vivre dans une chambre de ton royal palais. J'y attendrai mon bien-aimé.

Pharaon se perdit un moment dans ses pensées, puis il répondit :

— Au premier regard, je me suis pris d'amour pour toi et plus jamais mon cœur ne battra pour une autre femme. Je ne veux pas t'obliger à devenir mon épouse, noble dame. Si tu ne veux pas de moi je finirai ma vie solitaire. Pharaon n'aura pas de descendance. Tu vivras dans mon palais. Je te choisirai moi-même une chambre digne de toi, heureux seulement de te savoir près de moi !

Pharaon choisit pour Taichek les dix plus belles pièces du palais, il mit à son service deux fois dix esclaves, des jeunes filles et des jeunes garçons, il lui fit porter un coffret plein des bijoux les plus magnifiques et cinq coffres remplis de vêtements brodés d'or et d'argent. Le souverain pensait qu'avec le temps son amour pour Bata s'évanouirait, que les souvenirs de sa vie avec lui pâliraient dans son cœur et qu'alors elle accepterait de devenir son épouse.

Quelque temps avant ce jour, bien loin du palais, Anoup rentra un soir de son champ. Il se lava les mains et s'assit pour prendre son repas. Quand il approcha sa coupe de ses lèvres, la boisson se mit à bouillonner, à fumer et la mousse en déborda. C'était le funeste avertissement ! Sans perdre de temps, il prit ses vêtements de voyage, chaussa ses sandales, saisit son bâton et partit à la recherche de son frère vers la vallée des cèdres. Mais, au lieu d'une verte vallée et d'arbres magnifiques, il ne trouva qu'un désert de souches abandonnées. Au milieu de cette désolation, dans la maison de Bata, il trouva son jeune frère gisant inanimé sur le sol. Anoup pleura, puis il alla chercher la fleur qui contenait le cœur de son frère.

Après trois longues années de vaines recherches, il commença à perdre espoir. Il cessa de croire qu'il était capable de retouver cette fleur et décida de rentrer chez lui.

A l'aube, en prenant le chemin du retour, il passa près de la souche d'un très gros arbre et vit dans l'herbe une pomme de cèdre de grande taille. Il s'agenouilla, la ramassa et fut bien étonné. Dessous se tenait une toute petite fleur séchée. Il l'examina. En son centre, elle portait un petit grain noir : c'était ce qui restait du cœur de Bata. Anoup le plongea dans une coupe d'eau de source glacée et s'assit dans l'herbe. Tout le jour, le grain absorba l'eau et grossit sous ses yeux.

Le soir, Bata se ranima. Il se frotta les yeux, se redressa et sortit de sa maison. A l'endroit où s'élevait auparavant le grand cèdre, son frère était assis, tenant à la main une coupe pleine d'eau dans laquelle flottait le cœur de Bata. Anoup introduisit dans la bouche de son frère l'eau et le cœur. Ainsi, le cœur reprit sa place dans sa poitrine. Les deux frères s'étreignirent et passèrent la nuit à se conter leurs aventures. Au matin, ils s'endormirent pour prendre du repos.

Quand le jour parut et que le soleil entama son périple dans le ciel du matin, Bata dit à son frère :

— Le temps de la vengeance est venu. Rê le tout-puissant m'a révélé en rêve que l'auteur de mon malheur est le cruel magicien de notre pharaon. Je vais me changer en un taureau puissant au magnifique pelage bariolé, si beau qu'on ne vit jamais en Égypte un si bel animal. Tu monteras sur mon dos et, avant le soir, nous arriverons devant le palais royal. Tu m'offriras au pharaon et il te donnera une riche récompense: il te mesurera mon poids en or et en argent.

Et il en fut ainsi. La terre trembla, Bata disparut et, auprès d'Anoup, surgit un grand taureau. Anoup sauta sur le dos de l'animal qui prit sa course. Il touchait à peine terre et arriva bientôt près du palais. Le soir, quand Rê le dieu-Soleil passa les portes de l'ouest, Anoup présenta l'animal au pharaon. Le souverain se réjouit quand il vit le superbe taureau : il crut que c'était Rê qui le lui envoyait. Il ordonna que l'on dépose une couronne sur le front de ce taureau extraordinaire et que, dans toute l'Égypte, de grandes fêtes soient données en l'honneur de l'envoyé de Rê. Anoup reçut le poids du taureau en or et en argent. A ce trésor, pharaon ajouta cent esclaves qui transportaient autant de marchandises qu'ils en pouvaient porter. Anoup remercia le pharaon de ses largesses, se prosterna et retourna dans son village.

Un soir, le magicien entra dans les étables du pharaon. Lui aussi avait admiré le taureau et il voulait le voir de près. Dès qu'il aperçut l'homme, le taureau gronda, frappa sauvagement le sol de ses sabots et dit d'une voix humaine :

— Je suis Bata. Tu as fait abattre le cèdre pour que je meure ! Mais je vis et je me suis changé en taureau. Et le moment approche où tu expieras ton crime !

Épouvanté, le magicien sortit de l'étable et se précipita aux pieds du pharaon :

— Glorieux souverain, Bata vit. Il s'est changé en taureau et il est venu pour assouvir sa vengeance : il m'a dit d'une voix humaine qu'il nous tuerait tous deux. Fais abattre ce taureau qui n'est pas un don de Rê !

Le pharaon crut les paroles de son magicien et en conçut une terrible frayeur. Il ordonna à ses serviteurs de tuer en secret le taureau pendant la nuit et de jeter son corps dans le Nil.

Quand les serviteurs franchirent les portes du palais portant le cadavre du taureau, deux gouttes du sang de Bata tombèrent sur le sol. Au matin, deux magnifiques pêchers avaient poussé à cette place. Quand le pharaon s'éveilla, une grande surprise l'attendait.

— Glorieux souverain du monde ! Un miracle s'est produit ! Pendant la nuit, deux pêchers magnifiques ont poussé à la porte du palais, lui dit le serviteur qui veillait près de sa chambre.

— Appelez mon magicien ! Qu'il vienne avec moi voir cette merveille, ordonna le pharaon.

La foule, déjà rassemblée autour des deux arbres prodigieux, se réjouissait, apportait des offrandes car elle était persuadée qu'ils étaient un présent de Rê le tout-puissant. Pharaon la fit écarter et s'assit avec son magicien à l'ombre d'un pêcher.

Taichek vint également admirer les arbres et s'assit sous l'un d'eux. L'arbre agita son feuillage avec un doux murmure et bientôt la jeune femme s'endormit. Le pharaon s'était endormi lui aussi. Seul, le magicien restait éveillé, agité par d'étranges pensées.

— Deux arbres qui poussent en l'espace d'une nuit ! Il y a là quelque sortilège !

Tout à coup, les arbres s'agitèrent au-dessus de sa tête, les feuilles firent entendre un sourd grondement et une voix humaine, que seules ses oreilles pouvaient percevoir, proféra ces paroles :

— Je suis Bata. Tu as fait abattre le cèdre pour me prendre la vie. Tu as trompé ton maître et il a fait tuer le taureau. Ma vengeance ne tardera pas !

Le magicien blêmit, il frissonna de terreur et prit l'audace d'éveiller le pharaon :

— Mon maître, seigneur de l'univers ! Bata vit ! Il s'est changé en ces deux pêchers et médite notre mort. Pendant que tu dormais, il m'a parlé d'une voix humaine et m'a dit qu'il se vengerait de nous. Fais couper ces arbres !

Le pharaon, effrayé, appela ses serviteurs et fit couper les arbres. Dès que les esclaves s'attaquèrent aux arbres, Taichek s'éveilla de son doux sommeil. Elle ne comprit rien à ce qui se passait. Les pêchers gémissaient et craquaient sous les coups de hache. Taichek ouvrit la bouche pour pousser un cri de surprise. Mais un copeau s'envola des arbres martyrisés et pénétra entre les lèvres de Taichek qui l'avala.

Quelque temps après, la jeune femme mit au monde un petit garçon. Les gens pensèrent que son père, Rê le tout-puissant, le lui avait envoyé pour la consoler de la perte de son époux et, de tout cœur, ils lui souhaitèrent le bonheur. Le magicien y vit encore un sortilège et consulta en vain ses papyrus afin de comprendre. Quant au pharaon, il rendit honneur à cet hôte nouveau-né. Il aimait toujours tendrement Taichek et il se réjouit de son bonheur.

L'enfant devint un beau jeune homme. Le pharaon le chérissait et, comme il n'avait pas de descendant, il proclama l'enfant de Taichek prince royal et héritier au trône. La vie brûlait dans le jeune homme de flammes claires illuminant la vie du souverain qui allait vers son déclin. Quand le pharaon mourut, la douleur s'abattit sur tout le pays d'Égypte.

Les prêtres s'occupèrent du corps du pharaon défunt. Ils le vêtirent d'une tunique précieuse, déposèrent un masque d'or sur son visage, ornèrent ses bras et sa poitrine de bracelets et de colliers. Ils mirent sous sa tête des défenses d'éléphants et enfermèrent le cadavre dans trois cercueils, un de papyrus, un de bois de cèdre et un de marbre. Puis, on ensevelit solennellement le souverain dans une tombe souterraine dont les murs étaient ornés de peintures multicolores. Dans la tombe, furent déposés des meubles et ustensiles, des chars et des armes, des fleurs, de la viande, des gâteaux et des statues représentant des femmes, des soldats et des esclaves.

Après l'ensevelissement, il y eut grande assemblée de tous les prêtres et des plus hauts dignitaires. Le premier conseiller du pharaon défunt apporta sur un coussin d'or la double couronne, l'une blanche et l'autre rouge, autour de laquelle s'enroulait un serpent d'or et la remit au prince royal, le fils de Taichek.

Le nouveau pharaon la posa sur sa tête sans dire un mot.

— Salut à toi, seigneur et maître du monde, que tu vives éternellement, roi de la Haute-Égypte et de la Basse-Égypte, Vérité vivante ! proclama le magicien, et tous les dignitaires présents se prosternèrent.

— Selon les lois égyptiennes, j'accepte le pouvoir et je l'exercerai pour la gloire du pays et le bonheur du peuple, répondit le souverain en jetant un regard farouche au magicien. Voici le moment où s'est réalisée la prédiction des antiques papyrus. J'étais un paysan et je suis maintenant pharaon, souverain suprême, et je me nomme Bata !

Tu as fait abattre le grand cèdre pour me prendre la vie, tu as fait tuer le taureau, tu as fait couper les pêchers. Trois fois, tu as voulu me mettre à mort mais je suis vivant ! Rê, le tout-puissant, m'a protégé de tes entreprises. Il a enfermé ma vie dans un éclat de bois qui a pénétré dans la bouche de ma bien-aimée Taichek quand, sur ton ordre, on a abattu les pêchers. Pendant un temps, j'ai trouvé un refuge assuré près du cœur de mon épouse. Puis j'ai repris une forme humaine et je suis revenu au monde, sortant du sein de Taichek sous l'apparence d'un enfant nouveau-né.

Vois, cruel magicien, me voici un homme, successeur du pharaon et pharaon moi-même, maître de ta vie ! L'heure de ton expiation a sonné !

Les paroles tombèrent sur le magicien comme la foudre céleste, elles pénétrèrent comme un poignard acéré dans son cœur cruel que la crainte fit éclater. Il blêmit, frissonna et s'effondra mort aux pieds de Bata.

Bata ordonna que l'on amenât Taichek. Elle arriva, éperdue de joie, se jeta dans les bras de son époux bien-aimé et rien ne vint désormais obscurcir leur bonheur.

LE DEUXIÈME JOUR

Rê, le pilote étincelant, monta sur sa barque d'or et entama dans les cieux son voyage quotidien. Un nouveau jour venait de naître. Sur le vaisseau royal, sous les voiles de pourpre, se tenaient la noble reine, son fils et son scribe.

— Une pyramide ! cria le prince Césarion. Elle ne ressemble pas aux autres.

Dans la lumière aveuglante, se dressait au loin la silhouette d'une monumentale construction.

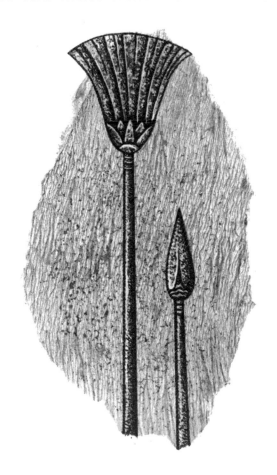

— C'est exact, noble prince. Les parois de cette pyramide ne sont pas lisses, elle est composée de six énormes degrés, expliqua le scribe.

— Lequel de nos ancêtres glorieux l'a-t-il fait construire ? demanda la reine Cléopâtre.

— C'est la plus antique des pyramides et, aujourd'hui, je vous entretiendrai du pharaon qui l'a fait construire et de tous les glorieux souverains de notre pays, constructeurs de ces montagnes de pierre.

LES SEPT ANNÉES DE FAMINE

Cette antique pyramide est le seul monument qui nous reste de l'époque du puissant pharaon Djeser. C'est alors qu'un terrible malheur s'abattit sur nos deux nations.

Sept années de suite, le Nil ne sortit pas de son lit et ne répandit pas ses eaux dans la vallée. Sept années de suite, les champs ne portèrent aucune récolte. La famine et la misère régnaient sur la Haute-Égypte et sur la Basse-Égypte.

Dans son désespoir, le peuple affamé se rassembla auprès du palais du pharaon et supplia son souverain de le sauver de la mort.

Le pharaon Djeser ne savait que faire. Il envoya quérir son plus haut dignitaire, le sage Imhotep et lui demanda conseil.

— Dis-moi ce qu'il faut faire pour que le Nil nous dispense à nouveau ses eaux !

— Grand Pharaon, je ne puis répondre tout de suite à ta question, répondit gravement Imhotep. Mais je sais par bonheur où chercher la réponse. Permets que je me rende dans la ville de Thèbes et que je passe quelque temps dans la grande bibliothèque. Là, sont conservés les plus antiques papyrus qu'écrivirent dans les temps anciens les plus savants parmi les scribes.

— Je t'y autorise, Imhotep. Prends dans mes magasins tout ce dont tu as besoin et mets-toi en route dès demain !

Imhotep fit diligence pour se rendre à Thèbes. Pendant tout un mois, du matin au soir, il se pencha sur les antiques papyrus. Dans la septième salle, à l'intérieur de la septième amphore, il trouva le rouleau qu'il cherchait.

Il rentra immédiatement au palais royal, se jeta aux pieds du pharaon et lui dit:

— Ô pharaon, j'ai trouvé le papyrus que je cherchais, c'est le plus ancien que nous possédions. Il m'a fallu bien du temps pour déchiffrer ces antiques écrits.

— Que disent les papyrus, sage Imhotep ? demanda le pharaon.

— Écoute comme étaient sages nos anciens scribes, répondit Imhotep et il se mit à lire:

« Dans le Nil, loin au sud, se trouve une île sur laquelle s'élèveront un jour un temple et une ville magnifique. Cette île, qui se nomme Éléphantine, existe depuis l'origine des temps. C'est là que se tenait Rê le tout-puissant quand fut créé le monde. Cette île s'appuie sur de grandes roches granitiques où est creusée une grotte qui se nomme la Source de Vie. Elle voit naître deux conduits que les gens appellent les Deux Bouches et qui mènent droit au lit du Nil. La grotte de la Source de Vie est la mère du Nil et ses deux bouches lui donnent son cau et sa force. Le Nil y est né et il y a sa couche où il vient se reposer chaque année et reprendre des forces. De la grotte, il se rue par les Deux Bouches et vient baigner la vallée. Puis, il lance ses eaux vers le nord jusqu'à la Très Verte. Dans la grotte, vit le fils de Rê, le grand Khnoum, dieu et maître du Nil. Si le peuple l'oublie, s'il néglige de lui apporter des offrandes, s'il cesse de l'invoquer, il accable l'Égypte d'une cruelle famine jusqu'à ce qu'on se souvienne du culte qu'on doit lui rendre. »

Et Imhotep continua :

— Nous avons oublié le grand Khnoum, glorieux Pharaon, et nous avons cessé de l'adorer.

— Sage Imhotep, je sais que tu connais tous les sortilèges. Je t'en prie, invoque le grand Khnoum. Demande-lui ce qu'il désire.

— Glorieux Pharaon, viens avec moi dans le sanctuaire des oracles, répondit le sage Imhotep. J'invoquerai le grand Khnoum.

Dans le sanctuaire baigné d'ombre, Imhotep alluma une petite lampe à huile. Sur ses yeux, il passa une poudre sacrée et fixa longuement sa lueur. Puis, il ferma les yeux. Sept fois, il répéta les incantations magiques empreintes de puissance. Tout à coup parut dans les ténèbres la haute silhouette d'un homme à tête de bélier dont les cornes dorées illuminaient la pièce obscure.

— Sache, toi qui effectues sur terre un passage éphémère, Pharaon d'Égypte, que je suis le grand Khnoum maître du Nil ! gronda l'être surgi de l'ombre.

De l'île d'Éléphantine, je dirige le cours du fleuve et je décide combien d'eau coulera dans son lit. Je dispense l'eau aux champs qui portent le blé et l'orge, l'eau qui fait vivre les arbres fruitiers, la vigne, les figuiers, les mûriers rouges, les dattiers et les savoureux orangers.

Mais, Pharaon Djeser, toi et ton peuple, vous m'avez oublié. Même toi, seigneur de ce pays, tu ne songes qu'à toi. Tu construis une gigantesque pyramide qui sera ton tombeau, qui défiera le temps, et tu m'oublies. Je veux être glorifié. C'est à toi de veiller au culte qu'on me rend. Que ton peuple m'honore et toi, Pharaon, fais-moi édifier un temple digne de ma grandeur. Alors, le Nil pourra répandre de nouveau ses eaux hors de ses rives.

Puis, la lueur dorée s'éteignit, la silhouette d'homme à tête de bélier disparut, le sanctuaire fut gagné par un profond silence.

Le lendemain matin, Djeser, accompagné du sage Imhotep, embarqua à bord du vaisseau royal et ils remontèrent le cours du Nil vers le sud. Ils dépassèrent Thèbes, bien des villages et des villes d'Égypte et arrivèrent dans la célèbre île d'Éléphantine. Pharaon monta au sommet de la plus haute colline et ordonna à Imhotep de consigner toutes les paroles qui sortiraient de sa bouche. Puis, il proclama :

— Je veux qu'ici se dresse un temple qu'aucun autre n'égale dans notre pays. Que le plus haut de mes dignitaires et le meilleur de mes architectes, Imhotep, le construise et qu'il n'épargne ni son talent ni mes trésors ! Et qu'il soit le palais du grand Khnoum, dieu du Nil. Tels sont mes ordres et ma volonté !

Dès son retour, Imhotep commença les plans du temple dont la construction fut achevée l'année suivante. Et, dès l'automne, les Deux Bouches fournirent abondance d'eau, et le Nil monta, monta, jusqu'à ce que ses eaux submergent ses rives et se répandent sur la campagne environnante.

Pendant de longues années, les eaux du Nil coulèrent sans défaillance et fécondèrent à chaque automne les terres de nos deux pays.

LE CROCODILE MAGIQUE

Cette histoire fut racontée par l'un de ses fils à Chéops, le plus grand pharaon de l'Ancien Empire.

Nul ne pourrait dire combien de fois le dieu Rê a accompli sa navigation dans les cieux depuis l'époque où régnait sur notre pays le grand pharaon Nebka.

Le sage souverain s'était entouré de serviteurs fidèles. Mais, plus que tous, il tenait en très haute estime son premier dignitaire, Oubaouné, scribe savant et magicien, qu'il disait même son ami. Pour le récompenser de ses fidèles services, il lui avait fait construire une

maison avec un grand jardin et un étang. Sur la berge de l'étang, une tonnelle s'élevait à l'ombre des palmiers et des sycomores. Oubaouné y goûtait, en compagnie de son épouse, des moments de repos délicieux.

Un jour, le grand pharaon Nebka partit en voyage pour visiter son empire et ordonna à son premier dignitaire, Oubaouné, de l'accompagner. Pharaon voulait visiter tous les villages d'Égypte afin de voir comment vivaient ses sujets, comment ils travaillaient, quels étaient leurs plaisirs, s'ils ne souffraient pas de la faim, et si nul ne les opprimait injustement.

Le voyage était pénible et durait déjà depuis des jours et des semaines. Un soir, Oubaouné, pensant à sa maison, fut empli de tristesse.

Il modela une statuette de cire puis, par un sortilège, il la fit croître jusqu'à la taille d'un homme et, de son souffle, il lui donna la vie.

— Va, hâte-toi vers ma demeure. Observe ce que fait mon épouse. Regarde tout, sans te laisser tromper. Dès ton retour, tu me raconteras ce qui se passe, ordonna-t-il.

L'homme de cire se prosterna, s'éleva dans les airs et disparut. Il revint peu de temps après.

— Vite ! Dis-moi ce que tu as vu ! Que faisait mon épouse dont je m'ennuie tant ? demanda vivement le magicien.

— Maître, ton épouse a fait la connaissance du fils d'un prince. Ils se tenaient sous la tonnelle, près de l'étang, ils mangeaient des douceurs et des fruits, buvaient du vin. Ils ne cessaient de se sourire et semblaient très heureux, lui dit le serviteur de cire.

— Et comment était mon épouse ? demanda tristement Oubaouné.

— Elle était belle à ravir, maître, parfumée de précieux onguents. Ses cheveux étaient coiffés, elle portait ses plus beaux vêtements, ses plus riches joyaux. Je me serais mis à l'aimer dès le premier regard, si j'étais un homme comme les autres !

— Et qu'as-tu vu encore ? s'exclama le haut dignitaire avec impatience.

— Je t'ai tout dit : ils se parlaient en souriant. Le jeune homme

sauta dans l'étang pour se baigner, puis s'en alla. Ton épouse resta sous la tonnelle et je suis revenu vers toi.

Oubaouné prononça une formule magique. L'homme de cire diminua jusqu'à redevenir une petite statuette que son maître cacha dans son sac de voyage.

Il n'y a rien à faire, se dit le magicien avec douleur, il faut me mettre en route !

Il prononça encore une formule magique et se changea immédiatement en un oiseau de proie qui battit furieusement des ailes, fendit l'air et, en un instant, il arriva chez lui. Là, il reprit sa forme humaine et se glissa en cachette dans la chambre de son intendant.

Stupéfait, le serviteur vit son maître surgir devant lui et l'étonnement le rendit muet.

— Va dans ma chambre, prends là un coffret en bois d'ébène et porte-le près de l'étang, ordonna le magicien au serviteur troublé.

Quand le magicien arriva près de l'étang, son intendant l'y attendait déjà. Oubaouné souleva le couvercle et sortit du coffret un rouleau de papyrus qu'il déposa soigneusement dans le sable. Il fouilla encore dans le coffret et en sortit un morceau de cire blanche. Il jeta le coffret et, de ses doigts impatients, se mit à pétrir la cire qui prit bientôt la forme d'un crocodile. L'animal n'avait que sept pouces de long et ressemblait plutôt à un lézard. Le magicien ramassa le papyrus et, à voix basse, il lut au crocodile une formule mystérieuse qui y était écrite. Puis, il tendit le crocodile en cire à son intendant en lui disant :

— Ce soir, cache-toi près de l'étang et, quand le jeune prince viendra s'y baigner, jette cette statuette de crocodile dans l'eau.

L'intendant prit le crocodile et, sans un mot, mais les yeux pleins de crainte, il s'inclina.

— Cache ceci soigneusement et ne dis mot à personne de ce que tu as vu et de ce que je t'ai ordonné, recommanda le maître. Surtout à ta maîtresse ! Malheur à toi si tu lui racontes quoi que ce soit ! Ta punition serait terrible. Rentre chez toi et souviens-toi que tu n'as rien vu ! Je dois retourner auprès de mon souverain.

Sur ce, Oubaouné prononça de nouveau sa formule magique, se changea en oiseau de proie, agita ses ailes et disparut.

Le lendemain soir, au coucher du soleil, le jeune prince vint prendre son bain dans l'étang. Une petite chose blanche tomba dans l'eau et la fit rejaillir comme une énorme pierre l'aurait fait. Le jeune prince jeta un regard, mais la chose devint crocodile, de la taille d'un gros tronc d'arbre, qui attrapa le jeune homme dans ses terribles dents et l'entraîna vers le fond. L'épouse du magicien, épouvantée, s'évanouit et l'intendant s'enfuit vers sa maison.

Oubaouné dut accompagner le pharaon pendant sept jours encore. Il paraissait si triste et si accablé que le pharaon remarqua l'air tourmenté de son fidèle serviteur. Il lui demanda :

— Je vois que tu as de noires pensées et de graves soucis. Dis-moi, ô mon dignitaire suprême, ce qui te fait souffrir ainsi.

— Glorieux Pharaon, mon maître vénéré, pardonne-moi si je ne te réponds pas sur-le-champ ! Ce sont des choses dont je n'ose parler devant toi. Cependant, si tu veux connaître la réponse à ta question et si tu veux voir une merveille qu'aucun mortel n'a jamais vue, viens, après notre retour, me rendre visite en ma demeure, répondit Oubaouné.

Le lendemain de leur retour à Thèbes, sa capitale, le pharaon rendit visite à son conseiller. La curiosité le tenaillait de voir la merveille promise.

Le magicien conduisit son seigneur vers l'étang et cria :

— Crocodile, apporte ta proie sur la berge !

Le souverain d'Égypte, effrayé, fit un bond en arrière quand apparut à la surface la tête d'un gigantesque crocodile tenant dans sa gueule un corps humain. Le monstre nagea vers le bord, y déposa sa proie et resta tranquillement allongé auprès d'elle.

Le pharaon, remis de sa stupeur après quelques instants, demanda :

— Comment cette infernale créature t'obéit-elle ainsi ?

Le magicien ne répondit pas. Il s'approcha du monstre, le toucha du doigt et l'animal vivant se changea aussitôt en un petit crocodile de cire blanche. Oubaouné le ramassa et le tendit à son souverain confondu d'étonnement qui le considéra attentivement. Alors, le dignitaire lui conta l'aventure de son épouse et du jeune prince infortuné.

Le pharaon, l'air sombre, jeta la statuette de cire sur le sol et elle se transforma immédiatement en un énorme crocodile vivant.

— Prends ce qui t'appartient ! lui dit le souverain d'Égypte.

Aussitôt le monstre reprit sa proie dans sa gueule, se jeta dans l'étang et disparut avec elle dans les profondeurs. Personne ne vit plus jamais le monstrueux crocodile ni le malheureux jeune prince. Seul, sans doute, le dignitaire suprême du pharaon, le magicien Oubaouné savait ce qu'il en était advenu.

LE POISSON DE TURQUOISE

Jadis régna sur l'Égypte un souverain juste et sage, le grand pharaon Snéfrou. Ses jours s'écoulaient dans le calme comme les eaux dans le delta du Nil et sa paix était rarement troublée par quelque événement inattendu. Le souverain s'ennuyait et, souvent, il errait par les couloirs et les salles de son palais, cherchant en vain son bonheur perdu.

— Le seul qui pourrait soulager mon ennui, et imaginer quelque merveille pour me distraire, serait mon savant scribe, mon grand magicien Djadjaemankh, pensa le souverain, un jour qu'il se sentait particulièrement morose.

Plein d'impatience, le pharaon ordonna à ses serviteurs :

— Courez à la Maison de la Sagesse et ramenez-moi vite le savant scribe Djadjaemankh, mon grand magicien. Hâtez-vous, que rien ne vous retarde !

Quand le savant scribe fut en sa présence, le pharaon lui dit :

— J'ai parcouru tout mon palais pour trouver quelque chose qui réjouît mon cœur, mais je n'ai rien trouvé ! Tu es un homme sage et tu connais tous les secrets de la terre, et des airs et des eaux. Réjouir le cœur de ton souverain serait un jeu pour toi. Vite, imagine quelque chose. L'ennui me ronge.

— Ô Pharaon, que tu vives en bonheur et santé éternellement et à jamais ! Peut-être qu'une promenade sur le Nil et le lac pourrait distraire ton ennui ! Ce ne serait pas un voyage ordinaire si tu voulais bien suivre mes avis, dit le grand magicien.

— Je suis sûr que tu me prépares quelque surprenante aventure. Ordonne donc que l'on apprête le vaisseau royal.

— Ce sera vraiment un voyage tout à fait particulier, affirma Djadjaemankh. Les rameurs ne seront pas ceux que tu as l'habitude de voir sur ton vaisseau. Maître du monde, ordonne que les plus belles jeunes filles qui servent dans ton palais montent à bord et prennent les rames. Le spectacle des oiseaux qui volent au-dessus de la rivière, des champs fertiles, des rives verdoyantes et des belles jeunes femmes apaisera ton esprit chagrin et consolera ton cœur plein de tristesse.

Le pharaon se sentit revivre. Enfin, quelque chose allait se produire. Peut-être lui arriverait-il cette aventure tant attendue. Les idées se bousculaient dans sa tête et il donnait ordre sur ordre :

— Que l'on apporte vingt rames en bois d'ébène inscrustées d'or ! Que l'extrémité en soit en bois de santal orné de grains d'or blanc ! Que l'on fasse venir vingt belles jeunes filles au visage lisse, souples et sveltes comme des palmiers ! Que leurs cheveux, nattés en mille petites tresses, soient noués de rubans où brillent des grenouilles et des poissons d'argent ! Puisez dans le trésor royal et parez les jeunes filles des bijoux les plus précieux, d'or, d'argent, de malachite, d'ambre jaune et de pierres de turquoise ! Qu'on les revête de tuniques en fines mailles d'or ! Faites, et je serai content de vous !

Bientôt, le vaisseau royal, dont les belles jeunes filles tenaient les rames, voguait sur le Nil. Le pharaon avait pris place sur le siège royal sous une tente blanche. Le cœur plein de joie, il contemplait ses jolies rameuses et écoutait avec délectation leurs chants rythmés. Sous la brise légère, les eaux clapotaient doucement et, à l'horizon, le ciel bleu se confondait avec les champs qui verdissaient. Le pharaon souriait de béatitude et se sentait heureux.

Tout à coup, on entendit un cri et tout un rang de jeunes filles cessa de chanter et de ramer. Surpris, le souverain demanda :

— Pourquoi cessez-vous de ramer et de chanter ?

La jeune fille assise sur le siège le plus élevé d'où elle dirigeait tout un côté du grand navire répondit :

— Seigneur, pardonne-moi d'avoir interrompu ma tâche. Je ne puis plus ramer et, par mon chant, donner le rythme à mes compagnes. La jeune fille assise auprès de moi m'a heurté la tête de sa rame. Un petit poisson de turquoise qui ornait mon ruban est tombé dans l'eau. Il me plaisait tant ! Plus jamais, je ne le retrouverai, gémit-elle.

— Je t'offrirai un autre bijou, plus beau encore, lui dit le pharaon pour la consoler.

— Aucun joyau, quel qu'en soit le prix, ne remplacera jamais mon petit poisson de turquoise, soupira la belle jeune fille.

— Mon conseiller, mon fidèle ami Djadjaemankh, qui a imaginé ce voyage, peut retrouver, dans les profondeurs de la rivière, ce bijou qui t'est si cher. Vite, qu'on fasse venir mon grand magicien ! ordonna le pharaon.

Le savant se présenta et se prosterna. Le pharaon lui dit :

— Djadjaemankh, mon frère, tu as accompli ce que tu m'avais promis. Mon cœur de roi est plein de bonheur et mes yeux se réjouissent au spectacle de mes belles rameuses. Mais un petit poisson de turquoise, un bijou cher au cœur d'une de ces jeunes filles, est tombé dans le fleuve et les eaux se sont refermées sur lui. La douleur a pénétré dans son cœur, elle a interrompu son chant et a laissé sa rame. Je lui ai offert un autre bijou, mais elle a refusé et pleure la perte de son poisson de turquoise. Je te prie de retrouver ce joyau. Que la joie et le bonheur reparaissent dans ses yeux !

— Pharaon, mon maître, répondit le magicien avec respect, qu'il soit fait selon ta volonté ! Aucun homme n'a jamais vu un tel sortilège. Que ton cœur se réjouisse et que ton esprit retrouve la paix et le bonheur !

Le savant scribe se dirigea vers l'arrière du vaisseau. Tout droit, le regard fixé sur les eaux, il prononça une formule magique pleine de force. Puis il étendit le bras au-dessus du fleuve. D'un coup, l'eau cessa de couler et s'ouvrit. Derrière le vaisseau, un gouffre se creusa dont l'eau, semblable à de la cire, formait les parois. Le vaisseau s'immobilisa. Le magicien prononça une autre formule. Comme il baissait le bras, le vaisseau s'ébranla et glissa vers le fond, entre les murs du gouffre pour s'arrêter sur le sol ferme et sec, couvert de verdure. Là, gisait le petit poisson de turquoise.

La jeune fille qui l'avait perdu poussa un cri de joie, sauta au fond du fleuve, reprit le poisson et le remit à son ruban. Puis, elle remonta à bord, s'assit à sa place et reprit sa rame.

Le scribe murmura quelques paroles et le bateau bougea ; il leva le bras et le vaisseau remonta doucement dans les airs pour voguer calmement sur le fleuve. Alors, le magicien laissa tomber ses bras le long du corps et l'eau emplit le gouffre. Une minute après, le fleuve avait repris son aspect ordinaire. La brise parfumée soufflait et de petites vaguelettes clapotaient en venant se heurter contre les flancs du vaisseau.

Éperdu d'admiration, le pharaon s'exclama :

— Djadjaemankh, mon frère, tu es le plus grand, le plus puissant magicien qui soit au monde !

Il garda le silence un moment et reprit :

— Tu m'as donné une grande joie de m'avoir montré une telle merveille. Quel étonnant sortilège ! Pense à la récompense que tu désires. Quel que soit ton souhait, je l'exaucerai avec joie. Désormais, si tu le veux, tu siègeras à mes côtés dans tous les conseils. Telle est ma volonté !

Les brumes du crépuscule s'élevèrent, le vaisseau royal glissait doucement à la surface du fleuve et les vingt belles jeunes filles,

vêtues d'un filet de mailles d'or, les cheveux rehaussés de pierres précieuses, ramaient au rythme d'un ancien chant d'amour :

Je souffre du mal d'amour !

Mais où donc est ma bien-aimée ?

Sa seule vue pourrait me soulager.

Je crie à tous les échos.

Je la chéris, elle est la seule

Que je désire prendre dans mes bras !

Le pharaon souriait de béatitude et se sentait heureux ! Désormais, le pharaon Snéfrou n'erra plus jamais solitaire par les couloirs et par les salles du palais. Quand il se sentait d'humeur chagrine, il faisait venir Djadjaemankh, son grand magicien. Celui-ci, par ses sortilèges et ses enchantements, parvenait à chasser sa tristesse.

Une seule fois dans sa longue vie, le magicien fidèle ne put obéir aux ordres de son maître, car il souffrait d'un mal qui, pendant bien des jours, le tint allongé sur sa couche.

Le pharaon Snéfrou fit alors appeler son grand conseil, tous les sages, les scribes, les savants et les dignitaires, et leur dit :

— Sachez que votre souverain s'ennuie, ses jours s'écoulent lentement comme l'eau du Nil dans le delta. Nul n'est capable d'égayer son existence. Trouvez un homme qui soit sage, intègre, fraternel, si bon qu'il ne ferait pas de mal à un petit poussin. Qu'il connaisse aussi plusieurs langues afin qu'il puisse faire le récit de quelque extraordinaire aventure qui charmerait mes vieilles oreilles.

Sages, scribes, savants et dignitaires se jetèrent aux pieds du pharaon et s'écrièrent :

— Grand Pharaon, longue vie à toi ! Bonheur et prospérité ! Il y a aujourd'hui parmi nous un homme, simple scribe, qui est l'homme le plus honnête, le plus courageux, le plus vrai que la terre ait porté. Il s'appelle Neferrohou. Ordonne et il paraîtra devant toi !

Ils allèrent chercher Neferrohou et lui dirent :

— Neferrohou, digne ami, ton maître veut te parler.

— Approche et conte-moi quelque chose qui m'intéresse et me distraie, lui enjoignit le pharaon.

— Maître, lui demanda le scribe en souriant, veux-tu que je te conte ce qui est arrivé dans le passé ou bien ce qui arrivera dans l'avenir ?

— Aujourd'hui, dis-nous ce qui se passera dans l'avenir, décida le pharaon, et il ordonna au chef des scribes de consigner tout ce que dirait Neferrohou.

Neferrohou porta son regard au loin, bien au-delà du palais, prit une profonde inspiration et commença d'une voix forte :

— Tremble, mon cœur. Pleure sur ce pays où tu commenças à battre, vois ce qui nous attend, n'oublie rien et ne nous cache rien !

Alors, le scribe Neferrohou soupira lourdement et reprit d'une voix plus faible :

— Tout le pays d'Égypte court à sa perte. Ce pays sera détruit. Un jour, plus personne ne se souciera de l'Égypte, personne n'en parlera plus et nul ne pleurera sur elle ! De noirs nuages cachent le soleil, on ne voit plus rien. Une terrible tempête se prépare !

Je vois les Bédouins, ils envahissent le pays. Tous nos ennemis se rassemblent. Avec les Asiatiques, ils foulent notre sol. L'armée en fuite refuse de se battre. Les officiers ne peuvent arrêter les soldats qui se sauvent. Ils n'obéissent plus, jettent leurs armes, ne songeant qu'à sauver leur vie.

Je vois des maux, des douleurs indicibles. Chacun ne pense plus qu'à soi, chacun garde son pain et son eau pour soi seul. L'ami ne secourt pas l'ami, le frère hait son frère, le fils trahit son père. Les hommes ont le cœur endurci. Ils ont perdu le sens de la bonté et de l'amour.

On ne respecte plus les lois, et le crime triomphe. Les champs jadis féconds sont devenus déserts. Il n'y a plus de grain. La famine dévaste l'Égypte tout entière. Mendiants, brigands chassent les paysans et dévorent le blé tandis qu'il est en herbe. Mais, voici venir du sud le pharaon Amenemhat le Victorieux. Il porte la couronne blanche, prend la couronne rouge et rassemble les deux. Le peuple se rassure, les temps changent et la situation s'améliore.

Les méchants et les égoïstes prennent peur et se cachent, les Asiatiques sont repoussés et rudement châtiés de leurs crimes. Les révoltés et les rebelles se taisent ou quittent le pays.

Le puissant souverain construit une muraille pour nous protéger de nos ennemis, mais les peuples ne se haïssent point et, quand les Asiatiques demandent de l'eau pour leurs troupeaux, les Égyptiens ne la refusent point. A nouveau, règne la justice et l'iniquité disparaît. Le cœur du peuple se remplit de joie. On chasse des esprits la haine.

Je vois une grande reine, la première souveraine qui règne en Égypte sur les hommes et sur les femmes, la très glorieuse reine Hatchepsout. Je la vois parcourir, avec son père vénéré, le puissant pharaon, tout le pays d'Égypte, depuis le delta du Nil jusqu'au-delà de l'île d'Éléphantine et le peuple l'accueille avec tous les honneurs, la saluant comme future reine.

Je vois comment on lui remet la double couronne, comment on la proclame reine et souveraine de l'Égypte, avec solennité. Tous les rois du monde se prosternent devant elle.

Avec respect et pleins d'admiration, ils déposent à ses pieds les plus précieux trésors de leur pays.

Sachez tous que, sous le règne de cette sage souveraine, nul en Égypte ne succombera dans les cruels combats ou dans des luttes fratricides, mais que tous vivront dans la paix et le bonheur. On pourra commercer, travailler les champs, construire de grands monuments, tailler des statues, peindre et graver sur les murs des tableaux magnifiques : les hommes s'aimeront les uns les autres et chacun aidera son prochain.

La justice reprendra sa place et l'iniquité sera anéantie. Tous voudront servir cette sage souveraine, tous le feront avec joie. C'est la vérité et tout ce que je vous ai dit arrivera.

Mon cœur cesse de frémir, il se calme. Les images s'évanouissent l'une après l'autre. Peu à peu, je reviens aux temps présents ...

— Étranges et prophétiques furent tes paroles, ô digne ami ! s'exclama le pharaon stupéfait, après un moment de silence. Qu'on te mesure du trésor royal autant d'or et d'argent que tu le désires. Tu as vaincu le chagrin et le tourment qui m'habitaient. Mon cœur a retrouvé la joie. A partir de ce jour, tu habiteras dans la demeure du prince royal ; mon cuisinier t'apportera ta nourriture et mes serviteurs pourvoiront à tes besoins. Je te nomme le successeur de mon scribe et conseiller suprême, le magicien Djadjaemankh, que tu as si magistralement remplacé aujourd'hui. Ceci est ma volonté et mon ordre !

C'est ainsi qu'un simple scribe devint le premier à la cour du pharaon et qu'en de nombreuses occasions, avec le magicien Djadjaemankh, il réussit par son esprit et ses récits à étonner le maître du monde.

LE PHARAON CHÉOPS
ET LE MAGICIEN DJEDI

Quand le pharaon Snéfrou rejoignit la compagnie des dieux qui suit Rê l'étincelant dans sa barque dorée à travers les cieux, le trône des deux nations revint à son fils, le grand pharaon Chéops, constructeur de la plus haute des pyramides.

Pharaon réunit à sa cour royale des sages, des lettrés, les meilleurs d'entre les scribes et leur fit conter d'étonnantes histoires pleines d'aventures incroyables, de merveilles et de sortilèges.

Un jour, le grand pharaon Chéops se tenait sur son trône, dans la salle d'audience du palais royal. Il portait la double couronne et l'aîné de ses quatre fils, le prince Djedefhor, était debout à ses côtés :

— Qu'est-ce qui t'amène, mon cher fils ? demanda le pharaon. As-tu quelque curieuse aventure à me conter ? As-tu des soucis et besoin de mes conseils ou de mon aide ?

— Grand Pharaon, vénéré père, répondit le prince. Je suis venu te présenter un sage magicien qui t'étonnera par la puissance de sa magie. Tu verras de tes yeux ce que, jusqu'à présent, on t'a seulement rapporté.

— Qui est ce sage et puissant magicien, mon fils ?

— Un homme simple. Il se nomme Djedi et habite tout près du palais. C'est l'homme le plus âgé du pays et, chaque jour, pour sa nourriture, il mange une charrette de pain, une cuisse de bœuf et boit cent cruches de bière. Il sait raccorder une tête coupée et la créature se remet à vivre comme auparavant. Il sait apprivoiser les lions, qui le suivent et se couchent à ses pieds comme des chats, répondit le prince royal Djedefhor.

Sans hésiter, le pharaon appela ses porteurs, leur ordonna de déposer sur un char un siège d'ébène incrusté de feuilles d'or et d'aller chercher le magicien. La chose fut ainsi faite et le souverain accueillit le sage dans la salle à colonnes de son palais.

— Je ne t'avais jamais vu, maître des merveilles et des sortilèges !

— Grand Pharaon, je ne savais pas que tu désirais ma présence. Mais tu m'as envoyé chercher et me voici devant toi, répondit le vieillard.

— Est-il vrai que tu saches raccorder à son corps une tête coupée et que la créature se retrouve vivante comme avant ?

— La puissance des charmes, la sagesse et l'expérience d'un vieillard y parviennent facilement.

— Que l'on amène ici un condamné à mort, ordonna le pharaon. Que l'on amène aussi le bourreau. Qu'il lui coupe la tête !

Mais le magicien s'écria :

— Pas un être humain, Seigneur ! Il n'est pas bon de se servir d'un homme pour un tel sortilège. Rê le tout-puissant nous punirait tous deux ! Ordonne qu'on apporte une autre créature, un animal ou un oiseau.

Les serviteurs apportèrent un canard à qui ils coupèrent la tête. Ils déposèrent le corps du côté ouest de la salle et la tête du côté est. Le magicien prononça une incantation et le corps, en se dandinant, alla vers le centre de la salle. Il en fut de même pour la tête. A cet endroit, la tête et le corps se rejoignirent et se remirent ensemble. Le canard se secoua, battit des ailes et s'en fut caquetant par tout le palais.

Puis, on apporta une oie et le magicien répéta son opération.

— Maintenant, ordonna le pharaon, plein d'admiration, apportez un animal plus gros, un bœuf, par exemple !

Les serviteurs apportèrent un bœuf au bout d'une corde et lui coupèrent la tête. Le magicien prononça quelques mots et, merveille ! la tête et le corps se réunirent encore une fois. Le bœuf se redressa sur ses pattes et suivit le magicien, traînant sa corde après lui et beuglant de joie.

— Djedi, mon frère, ta magie est puissante ! s'exclama le pharaon, stupéfait. Je suis heureux que le plus grand des magiciens soit mon ami et mon conseiller ! Oui, je te proclame mon conseiller et mon ami. Montre-moi une fois encore l'une des étonnantes merveilles dont tu es capable !

— Désires-tu, glorieux Pharaon, que j'apprivoise un lion, l'animal le plus puissant et le plus féroce du désert ?

— Je suis sûr que tu le peux, mais j'aimerais le voir de mes propres yeux !

Le pharaon ordonna que l'on apporte un lion en cage. Le roi du désert était furieux, il rugissait sauvagement et donnait des coups de griffes alentour.

Le magicien s'avança vers la cage, se redressa, fixa l'animal droit dans les yeux, étendit les bras devant lui et prononça des paroles mystérieuses. Puis il ouvrit la cage, se retourna et s'en alla doucement vers le côté ouest de la salle. Le lion se mit en mouvement, sortit de la cage et suivit l'homme. Quand il l'eut rejoint, il se coucha à ses pieds et lui lécha les mains, le magicien lui caressa la crinière et lui donna de petites tapes sur le dos. Puis, il ramena l'animal dans sa cage que les serviteurs refermèrent avec soin. Le magicien prononça à nouveau quelques paroles et le fauve, redevenu furieux, se remit à rugir et à montrer les crocs comme pour dévorer la terre entière.

— Voilà bien la plus étonnante des merveilles ! s'écria le pharaon au comble de l'admiration. Tu m'as procuré, ami, un plaisir incomparable ! Que l'on te donne de mon trésor royal tout l'or et tout l'argent que tu voudras. Désormais, tu habiteras dans la demeure du prince Djedefhor et tu recevras chaque jour pour ta nourriture une charrette de pain, cent cruches de bière, un taureau et cent bottes d'oignons. Tu pourras te présenter devant moi, aussi souvent que tu le souhaitcras et tu seras toujours le bienvenu. Ceci est ma volonté et mon ordre !

LE TROISIÈME JOUR

— *Digne scribe, ces merveilles et ces sortilèges que tu nous a contés hier, j'aurais voulu les voir de mes yeux, dit le prince Césarion à l'aube du nouveau jour resplendissant que leur dispensait Rê. Saurais-tu nous montrer l'un de ces prodiges ?*

— *Voudrais-tu, noble prince, animer une statuette de cire, apprivoiser un grand crocodile ou arrêter le cours des eaux ? demanda le scribe royal.*

— *Je suis sûre, que tu y parviendrais, digne savant, interrompit la reine Cléopâtre. Mais nous n'avons pas*

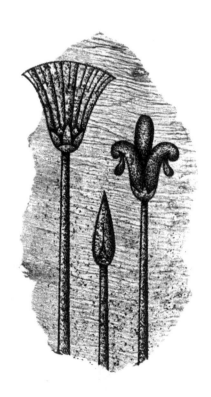

le temps de satisfaire les caprices du prince. Dis-nous plutôt de quoi tu vas, aujourd'hui, nous entretenir.

— Grande Reine, noble prince ! Écoutez maintenant l'histoire de vos ancêtres qui ne se sont pas illustrés seulement par leurs hauts-faits militaires mais aussi par leur sagesse et par leur équité. Je vous dirai les longs voyages et les aventures d'un prince royal de la cour du pharaon.

L'EXIL DE SINOUHÉ

Grande fut jadis la gloire du pharaon Amenemhat Ier qui ramena dans notre pays la paix et la prospérité. Il avait à sa cour un jeune officier, le noble et courageux Sinouhé.

Mais le jeune officier se souciait peu de gloire et de richesse : il ne pensait qu'à la fille du pharaon, la jeune et belle princesse Nefrou. La princesse Nefrou avait également remarqué Sinouhé et son cœur était rempli d'amour pour lui.

Mais le pharaon Amenemhat mourut. Son fils, le prince Sésostris, monta sur le trône et, comme l'exigeait la tradition, il prit pour épouse sa sœur, la princesse Nefrou.

Sinouhé sentit son cœur vaciller sous l'angoisse. Désespéré, le malheureux jeune homme ne pouvait se résigner à voir sa bien-aimée aux côtés d'un autre, fût-il même pharaon ! Il résolut de fuir : peut-être quelque part, au loin, en terre étrangère, son cœur trouverait-il la paix.

Sinouhé marcha des jours et des jours dans le désert, très loin des villes et des villages. Il traversa le delta du Nil, parcourut une région d'îles et de roseaux, se glissa entre d'épaisses broussailles et parvint à la frontière qui sépare l'Égypte des pays désertiques d'Asie. Il passa la frontière et se trouva perdu dans les déserts brûlants. Sa gorge le brûlait, il crut mourir de soif. Il tomba sur le sable, certain qu'il ne pourrait se relever et qu'il allait perdre la vie.

Tout à coup, Sinouhé entendit un martèlement de sabots. Il se redressa et, rassemblant ses dernières forces, rampa jusqu'à un campement de nomades d'Asie. Leur chef avait jadis rendu visite au pharaon et, chance pour Sinouhé, il le reconnut. Il soigna le voyageur épuisé, lui donna à manger et l'accueillit dans sa tribu.

Sinouhé se déplaça avec les nomades de vallée en vallée, de désert en désert, jusqu'à ce qu'ils arrivent au pays des cèdres. Le souverain du pays, le grand prince Amounenchi, entendit parler de lui et demanda qu'on le conduise devant lui.

— Pourquoi as-tu quitté l'Égypte et comment es-tu parvenu dans mon pays ? demanda le prince à Sinouhé. Dis-moi qui tu es et raconte-moi ton voyage.

Mais Sinouhé n'osait pas dire la vérité au prince. Il craignait qu'il le fasse ligoter, et qu'il le renvoie dans son pays.

— Noble prince, notre glorieux pharaon, souverain de la Haute-Égypte et de la Basse-Égypte est mort. Cette nouvelle m'a plongé dans un terrible désespoir et j'en ai perdu la raison. Voilà que je me suis enfui sans savoir ce que je faisais. Comme si une volonté étrangère avait remplacé ma volonté. Comme si une force insurmontable s'était emparée de mon esprit et avait guidé mes pas vers ton pays. J'aimais le pharaon Amenemhat et je l'avais toujours servi fidèlement et de mon mieux.

— Et que se passe-t-il en Égypte, maintenant que son illustre souverain est mort ? Le pays connaîtra-il la paix et la concorde ou bien le trouble et le désordre ? demanda le prince.

— Le fils du défunt souverain a remplacé son père sur le trône. Le nouveau pharaon est sage et plein d'équité. C'est aussi un valeureux guerrier et nul ne manie l'épée comme lui. Envoie-lui des ambassadeurs et offre-lui tes services. Sache qu'il ne portera jamais tort à un pays qui s'est déclaré son allié.

Le prince, qui avait écouté attentivement, déclara :

— Il est bon que l'Égypte sache que son pharaon est fort et puissant. Je ferai ce que tu me conseilles. Toutefois, ô Égyptien, je ne crois pas aux raisons que tu m'as données pour ta fuite. Je devrais te renvoyer en Égypte.

— Ne fais pas cela, ô prince vénéré ! s'exclama le premier conseiller. On dit en Égypte que Sinouhé manie l'épée et le javelot mieux que quiconque. Sa flèche ne manque jamais son but et aucun ennemi ne peut le rattraper à la course. Sans doute possède-t-il de précieux secrets de l'art militaire. Cet homme pourrait nous être fort utile.

— Je ne crois pas ce qu'il m'a dit de lui, répéta le prince. Il vaudrait mieux le renvoyer. Puis, se tournant vers Sinouhé, il reprit :

— Égyptien, je te permettrai de rester et je ferai de toi un homme riche si tu parviens à tuer le géant qui vit dans les collines, au-delà de la ville. Il s'est installé à l'éntrée du sentier qui mène au lac de la montagne et ne laisse passer personne. Il garde pour lui toute l'eau pure du lac. Mes guerriers les plus valeureux sont allés le combattre : il les a tous tués. J'ai envoyé ensuite mon armée et il n'est revenu qu'une poignée de soldats. Quant aux autres, il les a percés de ses flèches, frappés de sa massue ou pourfendus de son épée. Et mes sujets en sont réduits à boire l'eau tiède et nauséabonde de la rivière. Si tu ne veux pas te mesurer au géant, je te fais ligoter et je te renvoie en Égypte. Tu n'as pas le choix, Sinouhé l'Égyptien. Ceci est ma volonté et mon ordre !

— Ô prince vénéré, repondit Sinouhé, j'irai combattre ce monstre. Mais je n'ai rien pour me battre car j'ai abandonné mes armes dans le désert quand je croyais ma dernière heure arrivée.

— Commandant de ma garde, ordonna le prince Amounenchi, donne à l'Égyptien toutes les armes qu'il réclamera et qu'il dorme sous la tente des hôtes d'honneur !

Sinouhé remercia le prince et se rendit sous sa tente avec le commandant de la garde afin de se reposer, de préparer ses armes, tendre son arc, aiguiser ses flèches, son poignard et son javelot.

Au petit matin, le peuple se rassembla sur un espace découvert près de la ville et, quand Sinouhé arriva, il l'entoura en l'acclamant :

— L'Égyptien est le plus grand des guerriers. Nul ne peut le vaincre. Il tuera le géant et sauvera notre pays !

Mais le géant arrivait sur le plateau, venant de l'autre côté des collines. Il était d'une taille exceptionnelle. La terre frémissait et tremblait sous le poids de son corps.

Tous les cris s'arrêtèrent d'un coup. Le géant était armé jusqu'aux dents et, sûr de sa victoire, il avançait fièrement et mesurait son adversaire du regard. Il portait un lourd javelot, une hache de guerre, une massue, un grand arc et un si grand nombre de flèches qu'elles auraient suffi pour une armée d'archers.

Hommes et femmes prenaient Sinouhé en pitié. Ils murmuraient :

— Nul n'est assez fort pour se mesurer à ce géant ! Malheureux Sinouhé, lui qui court à sa perte ! Et nous, nous mourrons tous de soif !

On entendit un redoutable cri de guerre qui glaçait dans les veines le sang. Le géant se précipita sur l'Égyptien, lança son javelot, tira flèche sur flèche, mais Sinouhé, avec adresse, se dérobait rapidement, évitant chaque fois tantôt le javelot, tantôt les flèches. Le géant poussa encore un hurlement, brandit sa hache de combat et la fit tournoyer au-dessus de sa tête. Puis, il la projeta contre son adversaire. Sinouhé tira sa flèche et s'esquiva rapidement sur le côté. Le géant projeta sa hache dans le vide, il perdit l'équilibre, trébucha et tomba sur la terre brûlée de soleil. Sinouhé lui décocha une flèche, le visant à la gorge. Ce fut un véritable coup de maître ! Alors, sans hésiter, il attrapa son javelot d'une main ferme et le planta dans le cœur du géant. Puis il posa un pied vengeur sur la poitrine du vaincu en poussant un cri de victoire.

Le peuple applaudit, s'embrassa pour témoigner sa joie et entonna un chant de triomphe à la gloire du courageux Sinouhé.

Le prince, qui avait observé le combat, appela Sinouhé près de lui et lui dit :

— Je vois que tu es un guerrier comme il y en a peu ! En récompense, je te nomme commandant en chef de mon armée et je te donne pour tâche de protéger notre pays contre tous les envahisseurs. Je t'accorde l'aînée de mes filles pour épouse et, avec elle, nos champs les plus fertiles.

Puis il cria afin que les personnes présentes l'entendent :

— Écoutez-moi, vous tous ! Voici mon héritier et mon successeur ! Votre futur prince !

Sinouhé menait une vie heureuse au pays des cèdres. Au début, il pensait souvent à Nefrou, sa bien-aimée. Son souvenir ne le laissait pas en repos. Mais, avec le temps, les regrets devinrent moins brûlants. Ils s'estompèrent pour s'effacer complètement. Sinouhé possédait tout ce qu'il pouvait souhaiter. Il habitait un palais somptueux, des serviteurs dévoués veillaient sur lui ; avec ses lévriers sauvages, il chassait les bêtes féroces dans les montagnes. Il portait un nom glorieux, car il triomphait dans tous les combats, et la fille du prince, sa jeune épouse pleine de charme, l'aimait avec tendresse. Et, lorsque lui naquirent deux petits garçons, Sinouhé connut un profond bonheur.

Sinouhé l'Égyptien était, après le prince Amounenchi, le personnage le plus riche et le plus puissant au pays des cèdres. Pendant de nombreuses années, il partagea le pouvoir avec le prince et, quand celui-ci mourut, il devint le souverain unique de toute la principauté.

Les années s'écoulaient et, avec elles, s'en alla la jeunesse de Sinouhé, sa force et sa chance l'abandonnèrent. Sa chère épouse fut atteinte d'une maladie mystérieuse qui la conduisit au tombeau. Quand le malheureux Sinouhé eut enseveli sa femme, il sentit que rien ne le rattachait plus au pays des cèdres. Il avait bien deux fils, mais ils administraient chacun une province que Sinouhé leur avait concédée et ils ne pensaient guère à leur vieux père.

Sinouhé regrettait l'Égypte, terre de ses ancêtres. Il était tourmenté du désir de revoir avant sa mort la souveraine de la Haute et de la Basse-Égypte, la reine Nefrou qu'il avait tant aimée.

Un jour, Sinouhé rassembla son courage et écrivit au grand pharaon Sésostris une lettre où il lui demandait son pardon pour avoir abandonné sa charge et la grâce de pouvoir revenir en Égypte vivre les dernières années de sa vieillesse.

Il envoya sa lettre et la réponse du pharaon arriva bien plus vite que Sinouhé n'avait osé l'espérer.

« Reviens en Égypte et retrouve le pays dans lequel tu es né et le palais dans lequel tu as si fidèlement servi mon père, le glorieux pharaon Amenemhat. Emporté par les tourments de ton cœur,

tu as erré de pays en pays. Reviens maintenant, et tu retrouveras dans mon palais celle qui fut ton ciel et ta joie, mon épouse vénérée Nefrou, telle que tu l'as quittée. Ne permets pas à la mort de te prendre dans des contrées étrangères. Ici sont préparés pour toi les huiles de l'embaumement, les bandelettes, ainsi qu'un cercueil d'or. Si tu meurs, tu auras des funérailles magnifiques. Ton corps sera porté sur un char tiré par des taureaux et précédé par des chanteurs qui feront entendre les chants funèbres. Des danseurs exécuteront les danses funéraires. Ta tombe prendra place parmi celles des princes royaux et des plus hauts dignitaires. Reviens vite. Que la mort ne te surprenne pas en terre étrangère.»

Quand il eut fini de lire cette lettre, Sinouhé se jeta sur le sol, ramassa des poignées de poussière qu'il mêla à sa chevelure, puis il se redressa et proclama :

— Pharaon, le glorieux pharaon, m'a pardonné. Moi qui ai fui dans les nations barbares, je peux regagner mes demeures. Je ne méritais pas tant de bienveillance, tant d'honneur ! Quel bonheur de passer les derniers jours de mon existence dans mon pays natal !

A son fils aîné, Sinouhé confia le gouvernement du pays des cèdres, puis il se mit en route, accompagné d'une suite nombreuse. Il accomplit une longue route, traversa les déserts, il franchit les montagnes et atteignit enfin la première ville d'Égypte où l'attendait le vaisseau royal. Il prit congé de ses compagnons, ordonna de hisser la voile et, voguant sur le Nil, se dirigea vers la capitale du pharaon. Le lendemain à l'aube, le vaisseau mouillait au port.

Sur la berge, l'attendaient dix hauts dignitaires et dix des plus nobles familiers du pharaon qui le menèrent aussitôt au palais.

Le glorieux pharaon se tenait sur son trône d'or, le regard fixé au loin. Sinouhé se prosterna au sol et il demeura immobile. Pharaon ordonna à un officier de le relever, puis il dit :

— Bienvenue à toi, Sinouhé ! Tu as enfin trouvé, à travers les déserts, le chemin vers ton pays. Te voilà revenu en Égypte, terre de tes aïeux. Tu as atteint la vieillesse et tu auras le bonheur de voir ton corps enseveli dans la terre égyptienne et non enveloppé dans une peau de mouton, comme c'est la coutume dans les nations barbares éloignées. Et maintenant, parle !

Sinouhé se sentait coupable et il prit la parole comme un homme accusé d'un crime devant un sévère tribunal :

— Je ne veux pas répondre aussitôt. Une terrible angoisse m'étreint le cœur et bloque mes paroles. De même, une force étrangère et mauvaise m'avait poussé jadis à fuir l'Égypte. Je me tiens devant toi, glorieux Pharaon, et je remets ma vie entre tes mains. Qu'il en soit fait selon ta volonté !

Pharaon ordonna aux serviteurs de faire venir le reine Nefrou. L'instant que Sinouhé avait tant désiré était venu enfin ! Bientôt il vit la femme qu'il avait aimée plus que sa vie même ! Comment allait-elle l'accueillir ?

— Voilà Sinouhé qui est venu comme un étranger. Il ressemble aux barbares du désert, dit le pharaon quand la reine entra.

Jetant les yeux sur Sinouhé, Nefrou ne put cacher sa surprise et un cri s'échappa de ses lèvres.

— Ce n'est pas lui, ô Pharaon, mon seigneur ! Ce ne peut être le noble Sinouhé !

— C'est pourtant lui, répondit pharaon.

Le cri de la reine avait pénétré le cœur du vieillard comme un poignard glacé. Elle ne le reconnaissait pas et ne voyait en lui qu'un étranger et qu'un barbare du désert ! Destin cruel ! Lui qui, de tout son être, avait tant attendu cet instant !

A ce moment, les enfants du couple royal s'approchèrent de Sinouhé. Ils s'approchèrent avec curiosité et s'écrièrent :

— Ne crains rien, Sinouhé ! Notre vénérée mère nous a souvent parlé de ta loyauté et de ton courage ! Nous te protégerons !

Puis il se tournèrent vers Pharaon, leur père :

— La couronne de Haute-Égypte suit le courant, la couronne de Basse-Égypte remonte le courant, elles se sont réunies sur ta tête ! Protège tes sujets contre la mauvaise fortune et étends sur celui-ci ta faveur ! Salut à toi, aussi notre mère vénérée, maîtresse de l'univers ! Seigneur, nous voulons faire amitié avec cet homme, né en

Égypte, et qui avait quitté notre pays. Nous te demandons de le laisser vivre à nos côtés et qu'il y trouve le bonheur !

Une joie sans pareille s'empara du cœur de Sinouhé. Ainsi la reine ne l'avait pas oublié ! Elle avait parlé de lui à ses enfants et ceux-ci devenaient ses défenseurs !

— Sinouhé, ancien souverain du pays des cèdres, Égyptien qui est revenu reprendre sa place à la cour, n'a rien à redouter. Il est mon ami et sa place est parmi les princes et les dignitaires. Menez-le à ses appartements et qu'on le rétablisse dans ses fonctions. Ceci est ma volonté et mon ordre !

Sinouhé n'escomptait pas autant de bienveillance, autant de générosité. La reine Nefrou souriait, manifestant ainsi qu'elle n'avait pas oublié son serviteur. Éperdu de bonheur, Sinouhé quitta la salle d'audience et les enfants le prirent par la main pour le guider hors du palais.

Sinouhé habita dans la demeure du prince royal. Il retrouvait enfin une couche moelleuse et laissa sans regret le sable aux habitants du désert. Le pharaon lui concéda un grand domaine. Il ordonna aux charpentiers royaux de lui construire une maison, puis aux tailleurs de pierre d'édifier pour lui une pyramide.

Ainsi donc, Sinouhé, officier égyptien qui avait fui dans sa jeunesse chez les barbares, retrouva dans sa vieillesse sa haute dignité à la cour du pharaon. Ami du pharaon et de la famille royale, il savait qu'il serait enterré dans un magnifique tombeau en terre d'Égypte, auprès des pyramides des princes, des princesses et des plus hauts dignitaires. Aucun homme n'avait jamais connu si haute faveur et si grand bonheur que Sinouhé.

LE PAYSAN ÉLOQUENT

Jadis vivait, en plein cœur du désert, dans une oasis minuscule, le paysan Khounanoup. Certains jours, il chargeait sur ses trois ânes des sacs de marchandises, des roseaux, du sel et du salpêtre, des bois précieux, des peaux de chacals et de léopards, des plantes médicinales, des plumes d'autruches ; il y joignait une cage contenant des colombes, des perdrix et des cailles. Alors, il conduisait ses bêtes vers les contrées cultivées, puis échangeait son chargement contre du froment et de l'orge.

Un jour que le grain allait lui manquer, il dit à sa femme :

— Il nous reste quelques mesures d'orge. Prends-les : cuis du pain et brasse de la bière. Prends tout le pain dont tu as besoin pour toi et nos enfants. Prépare-moi le reste pour la route. Demain, j'irai vers la ville pour échanger mes marchandises contre du grain.

Le lendemain, le paysan prit le pain et la bière, chargea ses ânes et s'en alla par le désert pour accomplir son long voyage.

Il traversa le désert brûlant, les contrées pierreuses, les montagnes et atteignit le fleuve. Là, s'étendait un domaine, celui du fermier Djehoutinakht, avare et malhonnête. Il volait autant qu'il le pouvait son seigneur, le haut dignitaire Rensi qui lui louait le domaine, et faisait travailler à mort les ouvriers agricoles qui louaient leurs services.

Quand cet homme malhonnête vit arriver les ânes ployant sous leur lourde charge, le feu de la rapacité s'alluma en lui et il décida de s'approprier les animaux et les marchandises qu'ils transportaient. Il courut vers sa demeure qui se trouvait au bord de la route empruntée par le paysan pour parvenir au fleuve. La route étroite était bordée par les eaux d'un côté, de l'autre par un champ d'orge qui appartenait au fermier. Djehoutinakht fit apporter par son domestique une belle étoffe brodée. Il la disposa sur la route, laissant tremper une extrémité dans le fleuve et perdant l'autre parmi les tiges d'orge. Le paysan arriva avec ses ânes et s'arrêta devant l'étoffe :

— Surveille tes ânes ! lui cria le fermier. Malheur à toi si tu abîmes mon étoffe !

— Je ne voudrais pas te faire tort, maître, répondit le paysan, je ferai attention, et il voulut contourner les orges.

Djehoutinakht cria de plus belle :

— Comment ! La route passe-t-elle au milieu de mon orge ? Veux-tu donc anéantir ma moisson ?

— Par où faut-il donc que je passe ? demanda le paysan. Je ne peux passer dans la rivière, tu ne veux pas que je traverse ton champ. Je suivais la route habituelle, mais tu y as étendu ton étoffe. Pourquoi me cherches-tu querelle et m'empêches-tu de passer ? Que t'ai-je fait ? Voilà des années que je passe par ici et je n'ai jamais vu cela !

Dans le feu de la discussion, le paysan ne faisait pas attention à ses ânes qui arrachèrent une poignée d'orge et se mirent à brouter. Le fermier hurla :

— Regarde ! Ton âne dévore mon orge ! Tu connais la loi ? J'ai le droit de prendre ton âne ! Et qui sait si l'autre n'en a pas fait autant ? Je prends les deux. Et je confisque toutes tes marchandises. Cela paiera l'amende pour avoir endommagé mes récoltes.

— J'étais sur la bonne route, tu m'as attaqué, se défendit le pauvre paysan. Et maintenant, tu veux me prendre tout ce que je possède pour une malheureuse poignée d'orge ! Mais je connais le seigneur de ce pays et de ce domaine. C'est le haut dignitaire Rensi. Il punit avec une juste sévérité les brigands et les voleurs. Devrais-je donc être détroussé sur ses propres terres ?

— Ici, c'est moi qui commande, gronda le fermier. Ma parole a plus de poids que la tienne. Personne ne te croira, va-nu-pieds !

Il appela ses serviteurs qui s'emparèrent des ânes et de leur chargement. Quand le malheureux paysan poussa les hauts cris, il saisit une branche de tamaris et l'en battit. Le paysan gémit de plus belle.

— Tais-toi, imbécile ! cria le fermier furieux. Si tu continues, je t'envoie au pays du silence éternel. Quand je t'aurai coupé la langue, on verra bien si tu continues. Tu pourras toujours crier et gémir, personne ne t'entendra. Le paysan se tut, mais sa juste colère ne l'abandonna pas.

— Tu m'as battu, tu m'as volé mes ânes et mes marchandises, tu voudrais encore m'empêcher de me plaindre ? Peut-être penses-tu que je devrais te remercier ? Tu m'as tout pris et je devrais t'en être reconnaissant ? Je resterai dans ta maison jusqu'à ce que tu m'aies rendu mes ânes et mes marchandises.

Le paysan s'assit près de la demeure du fermier et y resta dix jours à réclamer son dû. Mais, Djehoutinakht ne faisait pas attention à lui. Le onzième jour, le paysan s'en alla trouver le haut dignitaire Rensi. Il arriva à la demeure de Rensi au moment où ce grand personnage la quittait et s'apprêtait à monter dans son vaisseau officiel.

Le paysan se jeta à ses pieds et cria:

— Justice, seigneur ! Je réclame justice contre le fermier Djehoutinakht qui m'a détroussé !

— Je n'ai pas le temps à présent, répondit Rensi. Mais va trouver mon scribe ! Dis-lui ton histoire et il consignera ta plainte.

Le paysan conta son histoire au scribe qui écrivit tout fidèlement, mot à mot. Le lendemain, Rensi revint, lut cet écrit et le juge lui dit :

— Seigneur, nous pensons que ce paysan ne dit pas la vérité. Sans doute veut-il quitter Djehoutinakht pour changer de maître. Djehoutinakht a dû le rattraper et le punir, comme c'est l'usage dans notre pays d'Égypte. Il lui a pris ses biens. Penses-tu, seigneur, que nous devions punir le fermier pour un peu de sel et de salpêtre ? Ordonne et nous commanderons au fermier de rendre son bien au paysan !

Rensi réfléchissait et il ne répondit ni oui ni non. Il restait muet. Que les juges décident ! Il n'adressa pas non plus la parole au paysan.

Celui-ci ne se laissa pas intimider et s'adressa de nouveau au grand dignitaire :

— Ô très grand seigneur ! Maître grand parmi les grands, défenseur de l'ordre ! Que tu navigues sur le lac de la vérité, que le vent de la justice te pousse ! Que jamais le mal ne t'atteigne, que tu ne connaisses pas la peur et que tes biens prospèrent !

Quand il eut achevé ses louanges, il en vint à son affaire, au dommage qu'on lui avait causé, à la justice qui n'est pas faite seulement pour les riches et les puissants de ce monde et à la sagesse qui est la mère de la justice !

Le discours du paysan plut à Rensi ; il écouta et repensa à ce que lui avaient dit ses fonctionnaires. Ce n'étaient pas de bons fonctionnaires. Ils savaient qu'on avait spolié ce pauvre homme et, pourtant, ils avaient soutenu le fermier malhonnête. Et les petits torts font naître de grandes injustices. Mais Rensi ne formula rien à haute voix. Le lendemain, le haut dignitaire Rensi se fit annoncer au pharaon Nebkaourê et, quand le souverain l'eut admis en sa présence, il lui parla du paysan qui, dans ses discours éloquents, réclamait justice et demandait la punition du coupable.

— Fais venir ce paysan, commanda le pharaon. Ne réponds rien à tout ce qu'il dira. Plus tu resteras muet et plus il parlera. Qu'un scribe prenne note de toutes ses paroles afin qu'on puisse me les rapporter et que je me réjouisse de son beau langage. J'aime les phrases bien tournées et j'apprécie les brillants orateurs. Fais remettre de la nourriture à sa femme et à ses enfants qu'ils ne souffrent pas de la faim. Remets-lui aussi du pain et de la bière, mais fais en sorte qu'il ne sache pas que cela vient de toi. Ceci est ma volonté et mon ordre !

Le paysan reçut chaque jour dix miches de pain et deux cruches de bière sans jamais savoir d'où cela lui venait. Sa femme non plus ne savait pas pourquoi les serviteurs du maître lui apportaient, chaque jour, à l'oasis trois mesures d'orge. Elle ne manquait de rien, mais se faisait beaucoup de souci pour son époux. Car ni l'abondance ni la richesse n'auraient pu le remplacer.

Le paysan se rendait chaque jour à la demeure de Rensi et réclamait toujours son dû et la justice :

— Pourquoi ne viens-tu pas à mon aide ? Pourquoi ne soutiens-tu pas la probité et encourages-tu l'infamie ?

J'ai confiance, pourtant, en ta sagesse ! Tu sais reconnaître un homme véritablement honnête !

Puis il vantait la bonté de Rensi, célébrait la sagesse et l'équité du pharaon, protecteur de la vie de ses sujets.

Les scribes inscrivaient fidèlement ses paroles et, chaque soir, leur chef les lisait au pharaon. Le souverain écoutait attentivement et l'éloquence du paysan lui procurait un grand plaisir.

Pendant neuf jours, le paysan tint ces mêmes discours et au soir du neuvième jour, il dit à Rensi :

— Voilà neuf jours que je parle devant toi et tu ne m'écoutes pas. Puisque personne, sur cette terre, ne veut me prêter une oreille attentive, je vais me rendre au royaume des morts. Sans doute y règne-t-il une plus grande justice qu'en ce monde ! Demain, tu ne me reverras pas !

Et le paysan s'éloigna de la demeure du haut dignitaire résolu à mettre fin à sa misérable vie.

Rensi envoya deux serviteurs pour le ramener. Le paysan était pâle, il avait peur d'avoir prononcé des paroles imprudentes et d'être puni de son audace.

— Ne me punis pas, vénéré seigneur, et laisse-moi aller pour que je puisse mettre fin à ma vie. Dans mon désespoir, j'accueillerai la mort comme l'égaré dans le désert reçoit l'eau du ciel, comme le nouveau-né reçoit le lait de sa mère ! Pour un infortuné comme moi, la mort est le plus précieux des biens, la seule délivrance !

Mais, le haut dignitaire Rensi rassura le paysan :

— Ne crains rien, ô homme courageux ! Le pharaon lui-même s'intéresse à toi. Les scribes ont inscrit secrètement tout ce que tu as dit sur les rouleaux de papyrus et les ont lus à pharaon. Attends-moi ici. Je veux me rendre auprès du souverain et t'en rapporter la sentence.

Le pharaon se fit lire les derniers feuillets du plaidoyer du paysan. Ils lui plurent et il dit :

— Et maintenant, Rensi, digne serviteur, je t'autorise à rendre la sentence. Je sais qu'elle sera équitable et que tu puniras la malhonnêteté du fermier Djehoutinakht comme il convient. Je remets entre tes mains le jugement, la punition et la récompense. Ceci est ma volonté et mon ordre !

Rensi retourna dans son palais et envoya deux serviteurs chercher le fermier. Puis il fit demander un scribe qui dut dresser la liste de tous les biens du fermier : ses serviteurs, ses ânes, ses porcs et sa volaille, ses meubles et ses outils, ses champs de céréales et la belle maison qu'il habitait avec sa famille, rien ne fut oublié. Puis, il rendit son jugement :

— Tous les biens du fermier Djehoutinakht sont attribués au paysan Khounanoup en réparation du tort qui lui a été fait. Le fermier deviendra un simple paysan. Ses deux bras sont le seul bien qui lui reste pour travailler chez Khounanoup afin de se nourrir. Ainsi en ai-je décidé !

Khounanoup envoya chercher sa femme et ses enfants, s'installa dans son domaine et y vécut dans la paix et la joie. C'est ainsi que le courageux Khounanoup fut récompensé pour son éloquence, son opiniâtreté, son honnêteté et sa bonne foi.

UN PHARAON HÉROÏQUE

Malheureuse est la nation où règnent des souverains étrangers, des hommes d'un autre sang ! Jadis, pendant cent longues années, les Hyksos, envahisseurs étrangers, dominèrent la partie nord de notre patrie. Huit de leurs rois se succédèrent sur le trône du royaume du nord. Ils construisaient des temples et des palais magnifiques, organisaient des fêtes fastueuses et des banquets. Pendant ce temps, les malheureux Égyptiens, qui travaillaient dans les champs et dans les carrières, souffraient d'une affreuse misère.

Le plus terrible de ces monarques étrangers fut Apopi. Il voulait prendre aussi le pouvoir dans le royaume du sud où régnait le pharaon Sekenenrê.

Or donc, le roi Apopi imagina d'envoyer au pharaon un message dans lequel il lui ordonnerait quelque chose que celui-ci ne pourrait accomplir. Ainsi s'emparerait-il du royaume du sud.

Il fit aussitôt appeler tous ses hauts dignitaires, ses officiers, ses scribes, ses savants et il leur ordonna de rédiger cet ordre impossible à exécuter.

Ils se prosternèrent devant leur souverain et lui dirent :

— Ô Roi, que tu vives, que tu sois puissant et florissant, notre seigneur ! Ordonne et nous obéirons !

Ils se concertèrent un moment puis, le plus sage d'entre eux dit :

— Roi, notre seigneur, envoie au pharaon un message ainsi conçu : « Fais tuer les hippopotames que tu gardes dans un bassin au milieu de ton palais royal à Thèbes. Sache que leurs rugissements me dérangent et que je ne puis dormir ni le jour ni la nuit ! » Grand roi, le pharaon ne pourra accepter cet ordre car il tombe sous le sens que les rugissements des hippopotames ne peuvent frapper tes oreilles à une telle distance, ajouta le savant homme.

— Je le comprends, inutile de me l'expliquer, répondit le roi Apopi. Mais que ferai-je si le pharaon Sekenenrê fait malgré tout abattre ses hippopotames ? Il n'est pas tellement difficile d'abattre quelques pachydermes !

— Il ne les tuera pas, seigneur, répondit le savant. Quel souverain oserait faire abattre des animaux sacrés qu'il croit lui avoir été donnés par Rê le tout-puissant ?

Quelque temps après, un envoyé du roi Apopi se dirigea vers Thèbes, porteur d'un message pour le pharaon Sekenenrê.

— Quel message et quelles nouvelles apportes-tu ? Pour quelle raison as-tu entrepris un si long voyage ? demanda le souverain.

— Mon maître, le grand roi Apopi, m'envoie vers toi et voici la nouvelle que j'apporte, répondit l'homme et il lut le message.

Pharaon fut saisi de stupeur en écoutant le message. Pourtant, il resta calme et ne laissa rien paraître. Pour gagner du temps, il fit appeler ses serviteurs et leur commanda d'offrir à l'envoyé de la viande, des gâteaux, de la bière, du vin et autres bonnes choses à manger et à boire.

Puis Pharaon appela ses hauts dignitaires, ses mages, ses scribes et ses savants et leur rapporta le message qu'il avait reçu de son voisin du nord, son vieil ennemi, le roi Apopi.

En apprenant cette nouvelle, tous restèrent muets et sentirent leur sang se glacer. Ils n'osaient rien conseiller ! Ils se concertèrent un long moment. Puis, le plus sage et le plus savant d'entre eux se redressa. Ce vieillard de plus de cent ans était le scribe chargé des papyrus royaux. Il déclara :

— Grand Pharaon, nous devons gagner du temps afin de nous préparer convenablement au combat contre notre ennemi. Envoie-lui cette réponse : « J'ai réfléchi à ce que tu m'as écrit. Maintenant, je cherche comment faire pour accomplir ce que tu désires. » Le temps de recevoir la réponse du roi, ton armée aura fait ses préparatifs.

On fit ce qu'avait dit le sage conseiller. Le temps passa, puis l'envoyé du roi du nord revint, se jeta aux pieds du pharaon et dit :

— Grand pharaon, le roi Apopi t'envoie cette réponse : « Nous combattrons car les rugissements des hippopotames de Thèbes troublent mon sommeil. »

Dès que l'envoyé du roi Apopi se fut éloigné, Pharaon rassembla le conseil de ses sages.

— Grand Pharaon, seigneur, l'attaque est préférable à la défense, dit le sage vieillard. Rassemble tes soldats, dirigez-vous vers la frontière. Franchissez la frontière sans vous montrer, mettez-vous en embuscade dans un lieu favorable et, de nuit, laissez-vous tomber par derrière sur l'armée ennemie. Si vous vous battez avec courage, vous serez victorieux !

— Ne crains rien, nous serons valeureux ! répondit Sekenenrê.

Les soldats d'Égypte se jetèrent avec héroïsme sur l'immense armée des archers ennemis. Ils l'assaillirent sur les flancs et sur l'arrière juste au moment où les soldats ennemis quittaient le delta du Nil, se dirigeant vers le sud. A la tête des Égyptiens, s'avançait un guerrier étincelant, le pharaon Sekenenrê en personne ! Il brandissait son javelot, sa lourde épée, faisait pleuvoir des coups de tous côtés. Il se tailla un chemin jusqu'au cœur de l'armée ennemie et, derrière lui, se ruaient ses plus valeureux guerriers. Surpris, les Hyksos se précipitèrent en une fuite éperdue et furent des proies faciles pour les valeureux Égyptiens. Puis, ils s'arrêtèrent et se mirent en position de défense, et ce fut un combat redoutable, au corps à corps.

Sekenenrê, qui se battait avec ardeur, ne s'aperçut pas qu'il était seul au milieu d'une nuée d'adversaires. Il tourbillonnait, abattant sa lourde épée sur ses ennemis qui tombaient autour de lui comme les épis de blé sous la faux du moissonneur. Mais, un mercenaire étranger réussit à s'approcher de lui sans être vu et lui assena un terrible coup de sa hache de guerre. Sekenenrê chancela.

Un deuxième guerrier ennemi se jeta sur le pharaon blessé et lui planta son javelot en plein front. Un troisième brandit sa hache de guerre, l'abattit et, d'un terrible coup, trancha la tête du héros.

Les envahisseurs poussèrent des clameurs de victoire, mais les Égyptiens ne perdirent pas courage. Fous de rage, ils se rassemblèrent autour du cadavre de leur pharaon et, pour venger sa mort, portèrent à leurs ennemis des coups mortels.

Sekenenrê, pharaon héroïque, n'était pas mort en vain. On aurait dit que son trépas avait insufflé de nouvelles forces dans les veines des Égyptiens. A la fin d'un combat meurtrier, ils remportèrent une glorieuse victoire.

Les soldats égyptiens s'inclinèrent avec un douloureux respect devant le corps de leur souverain bien-aimé, ils le déposèrent avec soin sur une litière et le ramenèrent à Thèbes, résidence royale. Là, les prêtres baignèrent le cadavre dans les huiles sacrées, recouvrirent sa tête d'un masque d'or et l'ensevelirent solennellement dans la tombe royale, au milieu des rochers.

La veuve de Sekenenrê, la reine Anhotep, monta sur le trône du royaume du sud. Ses trois fils reprirent avec courage le combat contre les envahisseurs ennemis et réussirent à libérer tout le pays d'Égypte.

La joie fut grande dans les deux royaumes.

L'Égypte, enfin, était réunifiée et libre.

LE PRINCE ENSORCELÉ

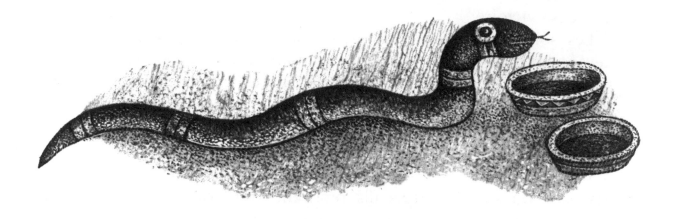

Personne au monde ne sait combien de fois le Nil, sorti de son lit, a répandu ses eaux bienfaisantes sur sa vallée verte et fertile depuis l'époque où régnait un pharaon qui avait le malheur de n'avoir aucun enfant. Pendant des années, le souverain désira des enfants, un fils surtout, un héritier au trône. Finalement, les dieux le prirent en pitié et réalisèrent son vœu. Un fils naquit au couple royal.

Le pharaon poussa des cris de joie quand ses serviteurs vinrent lui apprendre l'heureuse nouvelle ! Mais il s'assombrit quand il sut que Hathor, celle qui connaît la destinée, était là pour prédire le sort de l'enfant. Elle se pencha au-dessus de berceau et déclara :

— Tu seras tué par un crocodile, par un serpent, ou par un chien !
Puis elle disparut.

Le pharaon se demandait comment il pourrait déjouer la sinistre prédiction et protéger son fils contre les trois dangers qui le menaçaient. Comment faire pour que rien n'arrive à l'enfant et qu'il puisse grandir sain et sauf ? Ce fatal destin ne doit pas s'accomplir, résolut le pharaon.

Il fit construire, au loin, en plein désert, dans un lieu où ne vivaient ni crocodiles, ni serpents, ni chiens, une haute maison en pierre où il cacha le jeune prince. Il y réunit ses plus fidèles serviteurs et leur ordonna de veiller sur son fils comme sur la prunelle de leurs yeux. Il fit décorer le palais de bains revêtus de marbre. Il l'entoura d'un jardin avec un lac où poussaient des arbres et des fleurs magnifiques.

Le prince grandit dans sa maison de pierre, entouré de serviteurs dévoués. Pourtant, le prince s'ennuyait. Il ne connaissait rien du monde au-delà des murs du palais.

Quand il eut un peu grandi, il montait souvent sur le toit de son palais de pierre et regardait le désert qui l'entourait. Il observait l'horizon, là où le sable du désert se confondait avec le bleu du ciel.

— C'est sans doute la fin du monde, se disait-il. Ou bien peut-être qu'au-delà, il y a un autre monde, tout à fait différent de celui-ci.

Un jour, comme à son habitude, il grimpa sur le toit du palais et fut saisi d'étonnement ! Il n'avait jamais rien vu d'aussi extraordinaire ! Un homme s'avançait dans le désert et, à côté de lui, trottinait sur ses quatre pattes, une petite créature vivante.

— Qu'est-ce, demanda-t-il au serviteur qui se tenait auprès de lui, qui saute derrière cet homme ?

— C'est un chien, répondit le serviteur.

— Je le voudrais bien, reprit le prince, il me plaît ! Va me le chercher !

Le serviteur s'inclina et alla rapporter au pharaon le souhait du prince. Le pharaon fut effrayé en se rappelant le funeste oracle. Il réfléchit longuement :

— Je pourrais bien offrir ce petit plaisir au prince. Il a si peu de joie dans cette triste maison de pierre. Un petit chien ne peut pas lui causer grand tort, se dit-il.

Et, quand son fils lui adressa une instante prière, il prit sa décision :

— Apportez au prince un jeune chiot, ordonna-t-il, je ne veux pas voir mon fils si triste.

On apporta au prince un petit chien et il en fut très heureux. Il jouait avec lui, il l'emmenait partout. Le chien sautillait et le prince en était tout égayé. Ils devinrent de grands amis.

Les années passent et n'épargnent personne. Le prince grandit et devint un jeune homme vigoureux. Il apprit certaines choses des serviteurs, réfléchit profondément et, un jour, il alla trouver son père.

— Ô Pharaon, mon père, instruis-moi, je t'en prie : pourquoi me tiens-tu prisonnier dans cette maison de pierre ? Le plus pauvre des hommes est plus libre et plus indépendant que moi, fils de pharaon ! Je meurs du désir de connaître le monde. Je voudrais contempler les bois, les lacs et les fleuves, je voudrais écouter le chant des oiseaux. Je désire naviguer sur les fleuves et sur la mer, attraper des canards et des poissons, chasser dans les forêts le gibier et le léopard sauvage. Je veux rencontrer de belles jeunes filles, les voir danser et me réjouir de leurs chants harmonieux.

— Hathor, ô mon fils bien-aimé, celle qui connaît les destinées, t'a prédit un sort funeste, répondit le pharaon. Tu seras tué soit par un crocodile, soit par un serpent, soit par un chien. Il faut te méfier de ton lévrier. Ne défie pas le sort, reste dans ta maison de pierre !

— Grand Pharaon, mon père vénéré, je veux connaître le monde et je suis persuadé que, quelque part, le bonheur m'y attend. Et même si la sinistre prédiction devait s'accomplir bientôt et que mon bonheur fût de courte durée, je ne regretterais rien. Un instant de bonheur a plus de prix qu'une longue vie d'ennui dans une maison de pierre ! Permets-moi de parcourir le monde ! supplia le prince.

Le pharaon dut accepter et il fit préparer le prince pour un long voyage. Il donna à son fils le sceptre magique dont la vue faisait fuir de terreur les ennemis de l'Égypte. On amena un char attelé de chevaux, on y déposa les meilleures armes et un serviteur dévoué y prit place. Puis, il conduisit le prince sur la rive est du Nil et lui souhaita bon voyage. Le fidèle lévrier accompagnait son maître.

Tout d'abord, le prince s'avança dans le désert. Quand il l'eut traversé, il chemina là où le menait sa fantaisie, chassant le gibier qu'il rencontrait sur sa route.

Un jour qu'il poursuivait une gazelle agile, il se blessa les pieds sur des cailloux pointus. A peine ses blessures s'étaient-elles refermées qu'il continua ses errances à la poursuite du bonheur.

Bientôt, le prince arriva au royaume du pays des cèdres qui s'étendait dans la contrée de Mésopotamie. Le roi de Naharina qui y régnait alors, avait une fille unique, une perle de beauté, en âge de se marier. Le roi fit construire pour elle une maison de pierre dont la fenêtre s'élevait à soixante-dix coudées au-dessus du sol. Puis le roi envoya des messagers à tous les souverains des alentours pour inviter leurs fils dans son royaume. Et il proclama que celui des princes qui réussirait à grimper à la fenêtre de la princesse la recevrait en mariage.

Bien du temps passait et les jeunes princes tentaient en vain, jour après jour, de parvenir à la fenêtre de la princesse.

Un soir, le prince d'Égypte arriva dans le lieu où ils étaient rassemblés. Ils accueillirent cet hôte de grand cœur, le firent baigner, oindre d'onguents parfumés, donnèrent la provende à son attelage et nourrirent son domestique. Ils invitèrent le prince à un festin et, dans le cours de la conversation, lui demandèrent :

— D'où viens-tu, beau jeune homme ?

— D'Égypte où mon père commande les chars de guerre, prétendit le prince.

— Et qu'est-ce qui t'amène ici ?

— Ma mère est morte et mon père a pris une autre épouse. Comme ma marâtre me détestait, j'ai préféré m'enfuir.

Les fils de prince l'embrassèrent et le gardèrent parmi eux.

Le lendemain, le prince vit ses amis tenter leurs vaines escalades et leur demanda :

— Pourquoi grimpez-vous ainsi ?

— Voici trois mois que nous essayons sans résultat d'atteindre cette fenêtre. Le roi de Naharina a une fille d'une grande beauté et celui d'entre nous qui atteindra la fenêtre de la princesse la prendra pour épouse.

— Si je n'avais pas de blessures aux pieds, j'aurais tenté ma chance, dit le prince. Je me suis blessé en poursuivant une gazelle et j'étais venu ici pour me guérir.

Les fils de prince reprirent leurs tentatives et le prince resta à les observer. La princesse était derrière sa fenêtre et l'aperçut. Ce grand et beau jeune homme lui plut.

A partir de ce jour, le prince accompagnait toujours les autres jeunes gens et observait la fenêtre de la princesse. Il était curieux de savoir si la princesse était aussi belle qu'on le disait.

Un jour, il la vit un instant et l'amour s'empara de lui. Il fut pris d'un grand désir de tenter sa chance, lui aussi.

Quand ses blessures aux pieds furent complètement guéries, il tenta l'escalade du mur de pierre. Son amour pour la princesse décupla ses forces et son adresse. Très vite, il atteignit sa fenêtre. Celle-ci l'accueillit en l'embrassant très tendrement.

Les serviteurs se précipitèrent chez le roi et lui rapportèrent ce qui s'était passé.

— Heureux jeune homme ! s'exclama le roi. Et de quel prince est-il le fils ?

— Il n'est pas fils de roi, Majesté, répondirent les serviteurs. Ce courageux jeune homme est Égyptien et son père est un officier. Il a fui l'Égypte à cause du mauvais vouloir de sa belle-mère.

Le roi entra en courroux et cria :

— Je ne donnerai pas ma fille unique à un fuyard égyptien ! Chassez immédiatement de mon royaume cet effronté impudent et qu'il ne remette jamais les pieds à ma cour !

Les serviteurs rapportèrent au prince la décision du roi :

— Quitte sur l'heure notre pays ! Et ne t'avise pas d'y revenir jamais !

Mais la princesse prit le prince par la main et s'exclama :

— Par Rê le tout-puissant, si vous chassez ce jeune homme, je cesserai de manger et de boire et le chagrin me tuera plus vite encore !

Les serviteurs répétèrent au roi les paroles de la princesse.

Le roi n'hésita pas longtemps, il envoya des hommes d'armes pour tuer le jeune homme.

Dès que la princesse vit les soldats, elle étreignit l'élu de son cœur et s'écria désespérée :

— Par Rê, le tout-puissant, si vous tuez ce jeune homme, je me perce le flanc d'un poignard et je mourrai avant le coucher du soleil ! Je ne veux pas lui survivre un instant !

Les hommes d'armes n'osèrent pas tuer le protégé de la princesse. Ils retournèrent auprès du roi et lui rapportèrent ce qu'ils avaient vu et entendu.

Le roi réfléchit, puis invita la princesse et le jeune homme à se présenter devant lui.

— Dis-moi quelles sont tes origines, ordonna le roi au prince.

— Je suis le fils d'un officier égyptien qui commande les guerriers montés sur les chars de guerre, répondit le prince. Ma mère est morte et mon père a pris une autre femme. La haine de ma marâtre m'a chassé de mon pays natal, j'ai fui et je suis allé là où me conduisaient mes pas.

— Ainsi tu es le fils d'un officier égyptien. Tu as donc sans doute le métier militaire dans le sang. Et tu as du courage, je l'ai bien vu. J'ai besoin d'un combattant tel que toi. Un prince, gouverneur de la ville de Joppé nargue mon autorité. Il n'a pas envoyé son fils briguer la main de ma fille et, depuis plusieurs années, il ne me paye pas ses impôts. Finalement, ce misérable m'a envoyé une missive dans laquelle il me disait que, si je voulais mon argent, je n'avais qu'à venir avec mon armée, si j'avais le courage de me mesurer à lui. Je ne veux pas, moi, me battre contre lui. Mais toi, Égyptien, je te nomme commandant de mon armée et je t'ordonne de te rendre dans la ville de ce rebelle et de l'écraser si tu veux épouser ma fille et monter après moi sur le trône du royaume des cèdres. Si tu n'accomplis pas la tâche que je te donne, tu le paieras de ta vie !

— J'aime ta fille plus que ma vie, grand Roi, répondit le prince. J'exécuterai tes ordres. Mais exauce ma prière : équipe tes soldats d'armes égyptiennes, fais-les monter dans des chars de guerre égyptiens et qu'ils portent le costume et la coiffure des soldats égyptiens.

— Ta demande est étrange, jeune homme, répondit le roi. Mais qu'il en soit comme tu le désires. Sois seulement vainqueur de ce prince impudent !

Quand tout fut prêt, le prince se dirigea avec son armée vers la ville de Joppé ; il avait pris avec lui le sceptre magique que lui avait donné son père. Ils campèrent à proximité de la ville qui était fortifiée de murs épais et de hauts remparts au-dessus desquels se montraient les javelots acérés de ses défenseurs. Le prince comprit qu'il ne pourrait investir la ville rebelle par la force.

— Le sceptre magique ne me sera ici d'aucune utilité, se dit-il. Son pouvoir ne peut agir contre une ville fortifiée, entourée de murs si épais. Il faut que je m'y introduise d'une façon quelconque. L'assiéger pendant des mois ou des années, soupira-t-il, je n'en ai ni le temps ni la patience. La ruse seule peut m'aider.

Le lendemain, le prince ordonna de tresser deux cents grands paniers et de réunir un grand nombre de filets et de chaînes. Il cacha dans chaque panier un soldat et y déposa des armes, des cordes et des chaînes. Il ferma les paniers et les cacheta. Puis, à la même distance des murs de la ville et de son camp, il fit monter une grande tente d'honneur. Le terrain était nu, sans arbres et sans buissons, il n'était pas possible d'y poster des soldats en embuscade. Il fit seulement déposer ses deux cents paniers d'osier le long du mur arrière de la tente. Puis, il envoya à la ville, vers le prince de Joppé un de ses hommes à qui il ordonna de dire ces paroles :

— Notre seigneur est le fils du pharaon d'Égypte et il te propose son alliance contre le roi. Il a avec lui le sceptre magique qui viendra à bout du souverain mal intentionné. Vous pourrez en débattre dans la tente que mon maître a fait dresser à mi-chemin entre ta ville et notre camp.

Le prince de Joppé se réjouit et fit répondre au prince qu'il se rendait à son invitation.

Le prince fit apporter dans la tente des viandes rôties, des pâtisseries, des fruits savoureux et des cruches de bière forte et de vins capiteux.

Quand le prince de Joppé arriva, le prince s'assit avec lui à la table du banquet. Ils mangèrent et burent et s'entretinrent, discutant de la façon dont ils se partageraient le monde. Puisqu'ils possédaient le sceptre magique du pharaon, aucun ennemi ne pourrait leur résister.

Quand le prince vit que la raison de son hôte avait sombré sous l'effet de la boisson et qu'il ne tenait plus sur ses jambes, il lui tendit une nouvelle coupe en disant :

— Buvons maintenant, grand monarque, à notre alliance et à notre domination sur le monde. Et, en gage de notre amitié, accepte de moi un don précieux.

Il conduisit le prince de Joppé derrière la tente, lui montra les deux cents paniers et en fit ouvrir un.

— Vois ! Il y a là quelque chose qui règne sur le monde ! De l'or ! Tous ces paniers sont pleins de pièces d'or que m'a données mon père, le pharaon d'Égypte. Et il m'a ordonné de me rendre maître de tout le pays des cèdres. Seul, avec ma petite armée, je suis impuissant. Mais, avec ton aide, je suis sûr de vaincre et nous partagerons la terre et le butin. Accepte de moi les richesses contenues dans ces paniers, tu en paieras tes soldats et le reste sera pour toi.

Le prince de Joppé était tellement heureux qu'il ne conçut aucun soupçon. Il accepta volontiers ce fastueux cadeau.

Le prince fit passer des bâtons dans les anses des paniers et fit porter chacun d'eux par deux vigoureux soldats. Il leur ordonna d'entrer dans la ville fortifiée avec leur fardeau.

Le prince de Joppé appela l'un des officiers qui l'avaient accompagné et lui donna un ordre pour que la garde permît au cortège de pénétrer dans la ville.

Quand les soldats chargés de leurs paniers se furent éloignés, le gouverneur dit :

— Montre-moi, prince, ce sceptre d'or magique. Je suis curieux de le voir. On en parle sur la terre entière !

— Je te donnerai volontiers satisfaction, répondit le prince, sortant le sceptre d'un sac où il l'avait caché en grand secret. Regarde-le, gouverneur de la ville de Joppé !

Le prince de Joppé regarda le sceptre d'or et son pouvoir magique, d'un coup, l'ensorcela. Il ne pouvait plus faire un mouvement et sans doute n'entendait-il pas ce que le prince lui disait :

— Je suis le prince d'Égypte mais je suis l'ami du roi et je dois épouser sa fille. Regarde bien ce sceptre d'or dans lequel Rê le tout-puissant a enfermé sa force invincible. Sache qu'il punit cruellement les traîtres et les rebelles.

Ayant dit ces mots, le prince assomma son adversaire d'un coup de poing. Il tomba sur les genoux et, avant qu'il n'ait repris conscience, le prince le lia de cordes et de chaînes de cuivre.

Au même instant, les portes de la ville de Joppé s'ouvraient pour laisser entrer les porteurs avec leurs paniers. Dès qu'ils furent entrés, les porteurs ouvrirent les paniers et les soldats en sortirent avec leurs armes, les cordes et les chaînes. Ils se jetèrent sur les défenseurs de la ville et combattirent vaillamment jusqu'à ce qu'arrive à la rescousse le prince portant le sceptre magique.

Quand les rebelles virent l'éclat du sceptre d'or, ils jetèrent leurs armes et, désespérés, prirent la fuite. Mais ce fut en vain. Les soldats du prince les rattrapèrent facilement et tous, hommes et femmes, les enchaînèrent avec les cordes et les chaînes de cuivre.

Le prince fit une entrée triomphale à la cour du roi de Naharina. Il précédait deux rangs de charrettes portant un riche butin : des bracelets d'or, des colliers de perles, des étoffes parfumées, des toiles finement brodées et des armes de bronze. Derrière les voitures, s'avançait une foule de prisonniers et le prince vaincu de la ville de Joppé avec toute sa famille.

Le roi de Naharina tint sa promesse et il donna sa fille au prince. Comme présent de noces, le roi offrit aux jeunes époux un palais magnifique, un domaine fertile, un immense troupeau et un grand nombre d'esclaves vigoureux.

Le prince vivait heureux avec sa jeune épouse. Son bonheur était tel qu'il oublia le destin funeste qui lui avait été prédit à sa naissance.

Un jour qu'il prenait le frais dans son jardin, il vit un long serpent noir. Il fut pris d'une grande terreur, craignant de voir s'accomplir la sinistre prédiction et sa vie heureuse toucher à sa fin. De ce jour, il devint sombre, préoccupé et, la nuit, il restait sur sa couche sans pouvoir dormir. La princesse s'en aperçut bientôt.

— Mon époux bien-aimé, dit-elle, confie-moi ton tourment ! Tu étais gai, paisible. Maintenant, tu vas et viens, comme dans les nuages, tu sembles ne pas voir ce qui t'entoure. Tu es pâle et chagrin. Dis-moi quelles douleurs ont pénétré ton cœur. Je suis ton épouse fidèle. J'ai partagé avec toi la joie et le bonheur, je veux partager aussi la souffrance et l'ennui !

Le prince lui révéla le triste destin qu'on lui avait prédit.

— A ma naissance, Hathor, celle qui connaît les destinées, a prédit que je serais tué par un serpent, un crocodile ou par un chien.

— Alors fais supprimer ton chien, reprit la princesse. Il te suit partout et jamais ne te laisse en repos.

— Tuer mon chien ! Jamais ! Ne me demande pas une chose pareille. Je l'ai eu quand j'étais tout petit et j'ai toujours pris soin de lui. Il m'a accompagné partout, versant la joie dans mon cœur ! C'est mon ami le plus fidèle !

Quand le soleil disparut et que le vent se calma, le prince se jeta sur sa couche et sombra dans un profond sommeil. La princesse apporta une coupe de vin de perle et une coupe de bière forte et enivrante, se munit d'une hache et se cacha dans un coin de la salle. Toute la nuit, elle veilla, ne fermant pas les yeux. Dans le silence de la nuit, un serpent sortit de son trou et, lentement, rampa vers le prince endormi. L'odeur du vin et de la bière l'attira et il but les deux coupes. Il s'enivra et, se retournant, s'étendit sur le dos. La princesse bondit, brandit sa hache et tua le serpent. Puis, elle découpa le serpent en menus morceaux. Bien vite, elle éveilla le prince, lui montra les restes du serpent mort et lui dit :

— Vois ! Un de tes trois funestes destins gît mort à tes pieds !

Le prince se réjouit et son cœur s'emplit d'une espérance nouvelle.

— Peut-être, lui dit-il, ai-je échappé à mon fatal destin ! et il remercia Rê, le tout-puissant, et sa fidèle épouse qui l'avaient protégé.

Un autre jour, le prince se rendit à un étang pour chasser le canard. Son fidèle lévrier était malade et, pour une fois, ne l'accompagnait pas ; il n'avait avec lui que ses aides et ses serviteurs. Il s'égara dans les roseaux et se sépara de sa suite ; en cherchant son chemin, il tomba dans un profond trou d'eau. Tout à coup, il sentit une grande douleur et une force insurmontable qui l'entraînait vers le fond. Un grand

crocodile tentait de le tirer dans son antre.

— Je suis ton destin, lui dit le crocodile. Depuis bien des années, je t'attends dans ce lac. Enfin, tu es venu et je puis accomplir ma tâche !

— Y a-t-il quelque chose qui puisse me protéger contre tes dents acérées ? lui demanda le prince, accablé de désespoir.

— Depuis trois mois, je mène à l'aube un dur combat contre un effroyable monstre aquatique pour la domination sur le lac et les profonds abîmes. Si tu me promets ton aide et que tu triomphes du monstre, je te laisserai aller. Et si tu es vainqueur, mon pouvoir sur toi sera anéanti à jamais, répondit le crocodile.

— Mais comment, moi, pourrai-je le tuer quand toi-même n'as pu en venir à bout ?

— Ceci est ton affaire ! Pourtant, je puis te dire où tu le trouveras et le moment où il est le plus faible. Chaque jour, après midi, quand il digère son repas, il s'étend au soleil, près du bois. Il flaire un un crocodile à trois cents coudées, même plongé dans le plus profond sommeil, mais il ne sent pas un homme. Si tu ne le détruis pas, je m'emparerai de toi et je te tuerai ! Ton destin sera accompli !

Le lendemain, à l'heure de midi, le prince partit à la recherche du monstre. Il le trouva facilement sur la rive du lac, car il ronflait à faire trembler les arbres. Il s'approcha prudemment, tira son épée, banda ses muscles et, de toutes ses forces, l'abattit sur la tête du monstre qui rugit de douleur, ouvrit les yeux et se dressa.

Quand il vit le prince, il l'empoigna dans ses gros bras velus et le jeta brutalement à terre. Le monstre leva une deuxième fois son bras au-dessus du prince et, déjà, il pensait le déchirer et le dévorer quand se fit entendre un aboiement sauvage. Le lévrier fidèle ayant senti que son maître était en danger, avait échappé à ses gardiens et accourait au secours du prince. Il sauta sur le monstre et lui planta ses crocs dans la gorge.

Le prince embrassa son chien et lui dit, avec des larmes dans les yeux :

— Merci, ami fidèle, tu m'as sauvé la vie. Désormais, je n'ai plus de crainte. Le serpent est mort, le crocodile a perdu tout pouvoir sur moi, le chien est devenu mon sauveur et mon ami le plus fidèle.

— Je ne suis plus une créature muette, dit tout à coup le chien. Maintenant que la fatale prédiction ne s'est pas accomplie, je peux parler. Mon maître et mon ami, ta bonté et ton amour pour le chien qui devait être l'instrument de ton fatal destin t'ont sauvés. Je devais te tuer, mais tu m'as élevé et soigné avec amour. Rê le tout-puissant t'a chéri pour cela et il a fait de moi ton protecteur.

Le prince remercia Rê le tout-puissant et lui fit offrande d'un taureau, d'une oie et d'une cruche de vin. Son cœur se remplit de la joie de vivre et il ressentit un grand désir de retrouver son père pour le rassurer sur son sort. Il révéla à son épouse qu'il n'était pas le fils d'un officier égyptien, mais bien le fils unique du pharaon d'Égypte, maître de la terre entière et qu'il désirait plus que tout se rendre bientôt auprès de lui pour lui conter toutes ses aventures.

Quand cette heureuse nouvelle fut annoncée au roi de Naharina, il se prosterna jusqu'à terre devant le prince et fit préparer les chars et les cadeaux royaux. Accompagné de sa fille, il suivit le prince jusqu'à la frontière de son royaume.

Et le prince, avec la princesse et une suite nombreuse, s'avancèrent à travers le brûlant désert de l'est. Ils approchaient de ses limites, quand ils aperçurent une svelte gazelle qui fuyait devant eux à grands bonds gracieux.

Le prince pria son épouse de l'attendre avec sa suite à l'ombre d'un bosquet de palmiers. Il harnacha son cheval, monta sur son char et se précipita comme une tempête de sable. La passion de la chasse l'habitait et l'entraînait toujours plus loin à la poursuite du gracieux animal.

Tout à coup, comme si la terre s'était soulevée, se dressèrent devant lui trois pyramides, si hautes qu'elles touchaient aux cieux et, sous les rayons du soleil, leur sommet étincelait comme de l'or fin.

Le prince laissa fuir la gazelle et s'arrêta. Avec émerveillement, il contemplait les énormes collines de pierre construites de main d'homme. Mais, plus encore, le stupéfia le grand sphinx dont la tête, le cou et les épaules de pierre, sortaient du sable devant les deux pyramides les plus hautes. Il représentait le tout-puissant Rê, le dieu-Soleil à son lever — avec un corps de lion et une tête d'homme.

Le prince resta longtemps immobile, ne pouvant détacher ses regards du visage hiératique du sphinx qui portait sur le front l'uraeus égyptien (cobra royal à la tête dressée) au-dessus de l'étoffe brodée qui lui protégeait la tête et le cou des ardeurs du soleil. Tout était taillé dans la pierre ; seule la tête du cobra était en or.

Le prince était debout, le regard fixé sur le sphinx, comme ensorcelé. Tout à coup, pris d'une soudaine fatigue, il s'endormit et il lui sembla que la statue gigantesque bougeait. Elle se redressait et s'agitait comme si elle avait essayé en vain de secouer le sable qui recouvrait son corps et ses pattes. Ses yeux dont l'orbite creusée dans la pierre contenait une pierre précieuse brillaient de vie et le regardaient. Et le sphinx se mit à parler d'une voix sonore mais amicale :

— Porte sur moi tes regards, prince royal, et sache que je suis Rê, ton père, père de tous les pharaons de la Haute-Égypte et de la Basse-Égypte. Il ne dépend que de toi que tu portes un jour la blanche couronne de la Haute-Égypte et la couronne rouge de la Basse-Égypte. Il ne dépend que de toi que tu règnes sur le trône d'Égypte et que tous les royaumes du monde se prosternent respectueusement devant toi.

Prince, regarde comme le sable brûlant m'assaille de toute part, comme il m'entoure et me presse et comme il cache une grande partie de mon corps sacré. Promets que, comme un fils dévoué, tu me viendras en aide et balaieras ce sable brûlant. Consacre-toi à moi et tu seras pour toujours mon protégé. Je te ferai puissant et glorieux !

Le prince royal, comme sous l'empire d'un sortilège, bondit vers le sphinx qui s'était tu. Ses yeux étincelèrent comme un clair soleil et le prince s'effondra sur le sable, près des pattes du sphinx.

Quand il reprit ses sens, le soleil disparaissait derrière la plus haute pyramide. Le prince se releva lentement, porta ses regards sur la gigantesque statue de pierre, à moitié enfouie dans le sable qui, sous le soleil couchant, prenait des teinte rosées et il se souvint de ce qui lui était arrivé.

— Tout-puissant Rê, mon père vénéré ! s'écria le prince royal. Sache que j'obéirai à tes ordres ! Je te promets, si je deviens un jour pharaon, que ma première action, en tant que souverain, sera de dégager ton image sacrée du sable qui l'environne. A cette place, je ferai édifier un temple et j'y disposerai une table de pierre sur laquelle je ferai graver, en écriture magnifique, la manière dont j'ai accompli mon devoir.

Puis, le prince rejoignit sou épouse et sa suite et, ensemble, ils arrivèrent en peu de temps à la capitale royale. Heureuse fut la rencontre du pharaon avec son fils unique qu'il croyait depuis longtemps perdu !

Et tout se produisit comme l'avait prédit le Grand Sphinx ! Peu après, le glorieux pharaon proclama le prince héritier du trône d'Égypte. Et, bientôt, le prince devint souverain d'Égypte. Et la promesse sacrée qu'il avait faite au Grand Sphinx, le glorieux pharaon la tint dès les premiers mois de son règne.

Il fit enlever tout le sable de la statue monumentale et, entre les pattes étendues du Grand Sphinx, il fit édifier un temple. On y mit une grande plaque de granit rouge où, en écriture secrète, est relatée toute son aventure.

Et le Grand Sphinx accomplit ce qu'il avait promis. Il fit du nouveau pharaon un des plus grands et des plus glorieux souverains de la Haute-Égypte et de la Basse-Égypte et lui accorda de longues années de force et de bonheur.

Bientôt, l'épouse du pharaon lui donna un fils et leur bonheur n'eut pas de fin.

LE QUATRIÈME JOUR

— *Vois, mon fils et, scribe, toi aussi, là-bas, à la limite du désert, ces lions ! Quelle allure majestueuse ! dit la reine Cléopâtre.*

La barque d'or de Rê, dieu-Soleil, émergeait des ténèbres de la nuit et ses flèches étincelantes annonçaient la naissance d'un jour nouveau.

— *Tu as raison, grande Reine, ils se comportent vraiment comme de nobles personnages ! Comme vous, les pharaons ! Car ce sont des rois. Ils règnent sur tous les animaux du désert et des contrées rocheuses, répondit le scribe.*

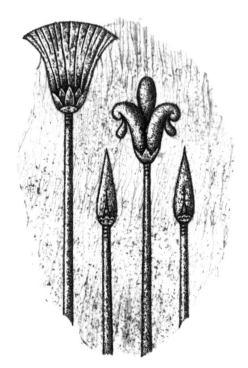

— *Mais ils ne peuvent, comme nous, atteindre à la sagesse*, répliqua le prince Césarion.

— *Noble prince ! Je suis persuadé que tu serais étonné de voir comme le roi des animaux peut se conduire de façon sage et raisonnable. Écoute ce que les antiques papyrus du livre des pharaons rapportent du royaume des bêtes et des oiseaux. Tu verras qu'il y a grande ressemblance entre le monde des animaux et le monde des humains. Et peut-être, un jour, auras-tu besoin d'imiter leur sagesse.*

LE LION QUI VOULAIT
RENCONTRER L'HOMME

Jadis, dans le désert, vivait un lion puissant qui était plus fort que toutes les bêtes des monts et des steppes. Il poursuivait les autres animaux et en venait facilement à bout. Toute la gent animale des steppes et des monts le redoutait et tremblait de terreur quand se faisait entendre au loin son terrible rugissement.

Un jour qu'il allait s'abreuver, il rencontra la panthère dont le poil était arraché et la peau déchirée.

— Pourquoi ton poil est-il arraché et ta peau déchirée ? demanda le lion très étonné. Qui t'a traitée ainsi ?

— L'homme, répondit, navrée, la panthère.

— Qui est-ce, l'homme ? demanda le lion, surpris au plus haut point.

L'homme est la créature la plus rusée qui soit ! Évite de croiser son chemin et de tomber entre ses mains ! Tiens-toi plutôt à distance !

— On ne me fera pas croire que quelqu'un puisse me vaincre, se dit le lion. Je vais chercher l'homme et nous mesurerons nos forces. On verra bien qui sera victorieux !

Et ainsi, le lion se mit à la recherche de l'homme. Il rencontra le cheval et l'âne. Ils avaient un mors dans la bouche et une bride au cou, il traînaient une charrette et galopaient si vite qu'ils soulevaient un nuage de poussière. En quelques bonds puissants, le lion les dépassa, leur barra la route et leur dit :

— Qui vous a attachés à cet étrange objet et pourquoi cette fuite désespérée ?

— L'homme, notre maître, nous a réduits en esclavage, répondirent le cheval et l'âne. Nous nous sommes sauvés, emportant la charrette et nous galopons de toutes nos forces pour qu'il ne nous rattrape pas !

— L'homme est donc plus fort que vous deux ! reprit le lion stupéfait, cette fois.

— Personne n'est plus rusé que l'homme, notre maître. Garde-toi bien de tomber entre ses mains ! Il te rendrait esclave comme il l'a fait de nous !

Le lion hocha la tête et s'en fut, incrédule. Il lui fallait trouver l'homme pour se prouver à lui-même, ainsi qu'aux autres qu'il était bien le plus fort !

Un peu plus tard, il rencontra le taureau et la vache. Ils avaient les cornes rognées, les naseaux percés et un joug sur la tête. Le lion leur demanda qui les avait ainsi maltraités et humiliés. Ils répondirent que c'était l'homme, la plus rusée des créatures.

Le lion vit ensuite venir l'ours qui n'avait plus ni griffes, ni crocs. C'était un triste spectacle que ce puissant animal privé de ses armes. Le lion lui demanda :

— Est-ce donc encore l'homme qui a eu raison de toi ?

— Tu as dit vrai, c'est l'homme qui m'a ainsi amputé. Je me suis vanté de ma force et je lui ai ordonné de me procurer de la nourriture, répondit l'ours. Un jour que je n'étais pas sur mes gardes, il m'a offert une nourriture empoisonnée et il en a profité pour m'arracher les griffes et me casser les dents. Puis il m'a jeté du sable dans les yeux et s'est enfui, emportant mes griffes et mes dents. Me voilà maintenant impuissant comme un ourson nouveau-né !

Humilier ainsi l'ours puissant ! C'était la honte pour toute la gent animale ! Le lion en gronda de fureur et, en bondissant, il s'en fut à la recherche de l'homme.

— Qu'il vienne seulement à portée de mes griffes et il lui en cuira ! grommelait-il en lui-même.

Sur ce, il vit un autre lion, son congénère, qui avait une patte prise dans le tronc d'un arbre et agitait désespérément et inutilement les trois autres. Le lion lui demanda :

— Que s'est-il passé ? Comment t'est arrivée cette mésaventure ?

— L'homme, répondit le deuxième lion. Si tu flaires son odeur, fuis aussi loin que tu le peux ! Si tu le rencontres, ne lui fais pas confiance et ne crois rien de tout ce qu'il pourra te dire ! Il m'a dit qu'il était le maître du temps et qu'il connaissait le secret de la jeunesse

et de la vieillesse. Nous sommes venus ensemble jusqu'à cet arbre du désert. Il y a planté sa hache et m'a dit de mettre ma patte dans l'entaille. Dès que j'ai eu introduit ma patte, il a ôté vivement sa hache et l'entaille s'est refermée. Quand il a vu que l'arbre retenait solidement ma patte, il m'a jeté du sable dans les yeux et il est parti.

Le lion rugit si épouvantablement que toutes les créatures vivantes des alentours sentirent leur sang se glacer dans leurs veines. Il jura à son frère infortuné :

— Si l'homme tombe sous ma griffe, je lui ferai payer toutes les hontes et toutes les souffrances qu'il a infligées aux animaux de ces lieux. Terrible sera ma vengeance. Je te le promets !

Comme le lion parcourait déserts et montagnes, cherchant toujours l'homme, il posa sa patte sur une petite souris, mais une souris minuscule, pas plus grosse qu'un tout petit œuf de caille du désert. Dèjà, il levait la patte et allait l'écraser quand la souris le supplia :

— Ne me tue pas, ô lion, notre seigneur ! Me manger n'apaiserait pas ta faim ! Vois ma taille ! Tu n'en sentirais même pas le goût sur ta langue. Accorde-moi la vie et, si tu te trouves un jour en danger comme je le suis aujourd'hui, je te le revaudrai. Si le sort t'est contraire, je te secourrai dans ton malheur et je te rendrai la vie et la liberté.

— Comment toi, minuscule créature, pourrais-tu me venir en aide à moi, le plus puissant de tous les animaux ? Quand il n'y a aucune créature au monde qui puisse s'égaler à moi, me combattre et encore moins me vaincre ! Personne ne pourrait croire tcs paroles !

— Je répète que je t'aiderai dans ton malheur quand les mauvais jours viendront pour toi, siffla la souris d'un ton prophétique.

Le lion éclata d'un rire bienveillant et dit :

— Tu as bien de l'audace de te vanter ainsi ! Mais, en y réfléchissant, tu as raison. Si je te mangeais, je n'en aurais ni plus ni moins faim ! Je t'accorde la liberté, ma protectrice !

Le lion s'amusait de bon cœur et laissa la vie à la petite souris.

Son rire parvint aux oreilles de l'homme qui était en train de poser un piège. Il creusa un profond fossé au pied d'un arbre puis grimpa vivement dans le feuillage pour que le lion ne le voit pas. Le lion flaira son odeur, rugit, se précipita contre l'arbre et tomba dans le fossé. L'homme sauta de l'arbre, jeta sur le lion un filet qu'il attacha de solides courroies. Qu'importaient les rugissements du lion ! L'homme ne fit qu'en rire et se moquer, il lui jeta de la poussière dans les yeux et lui dit :

— Tu voulais me capturer ? Te voilà pris toi-même. J'ai eu raison de toi, roi du désert ! Demain, je reviendrai pour te tuer. Bonne soirée, pense à moi et réjouis-toi pour demain !

La fierté du puissant lion, seigneur du désert, était en lambeaux. L'homme avait anéanti son orgueil. Le lion était impuissant, il ne pouvait faire aucun mouvement. Il ne voulait pousser aucun rugissement qui aurait alerté les autres animaux en révélant sa honte. Il restait donc silencieux, n'ouvrant pas même les yeux dans la nuit, attendant tristement le lendemain, résigné à son triste sort.

Vers le matin, persuadé de sa mort prochaine, le lion vit près de lui une petite souris. Sans doute le sort voulait-il par cette plaisanterie le punir de son orgueil et de son égoïsme !

— Me reconnais-tu ? lui dit la souris. Tu m'as épargnée hier et je viens tenir ma promesse et t'aider dans ton malheur. Tu vois, tu n'as pas voulu croire qu'une souris pourrait te rendre service. Un jour entier ne s'est pas écoulé et déjà tu as besoin de moi, ô roi du désert ! Il n'y a que moi qui puisse te sauver des mains de l'homme. Mais c'est avec joie que je t'aiderai. Car il est bon de rendre le bien que l'on vous a fait. Et il y a encore une chose qu'il ne faudra pas oublier, lion, mon seigneur ! C'est que les forts et les puissants comme toi ne devraient jamais faire tort aux petits et aux faibles. Nul ne peut savoir de qui, dans le malheur, il pourrait avoir besoin.

Puis, la souris se mit à grignoter les courroies qui liaient le lion, elle rongea les mailles du filet qui l'enveloppait, puis se cacha dans son épaisse crinière. Le lion se releva, dégourdit son corps, détendit ses muscles et, lentement, s'en fut vers le désert.

LE VAUTOUR QUI VOYAIT
ET LE VAUTOUR QUI ENTENDAIT

Un jour, dans le désert, se rencontrèrent deux grands oiseaux étranges. Le premier était un vautour qui affirmait voir tout ce qui se passait dans le monde. Le deuxième était un vautour qui prétendait entendre tout ce qui se disait dans le monde.

— Mes yeux sont plus perçants que les tiens, ma vue est meilleure que la tienne. Nul, parmi les oiseaux, ne peut apercevoir ce que, moi, je vois, dit le premier vautour.

— Et tout ce que j'ai entendu, aucun oiseau ne l'a jamais perçu, répliqua aussitôt le second.

— Dis-moi donc les dernières nouvelles que tu as apprises, demanda le premier vautour qui était très curieux.

Le second répondit :

— J'ai entendu ce que l'aigle contait à sa femme : « Je volais au-dessus du désert et j'ai vu le lézard avaler une mouche ; bientôt,

le varan a mangé le lézard et fut mangé par le serpent. Le faucon s'empara du serpent, mais il ne put le porter longtemps et tous deux sont tombés dans la mer. »

Tu dis que tu vois tout. Regarde donc vers la mer et dis-moi ce qu'il est advenu du faucon et du serpent.

— Tout ce que tu as raconté est la pure vérité, répondit le premier. Le serpent et le faucon qui étaient tombés à la mer ont été avalés par un poisson qui a été la proie d'un silure alors qu'il regagnait la rive. Le silure a été attrapé par un lion qui suivait le bord de mer et l'a traîné sur le rivage. Ils ont été tous deux victimes de l'oiseau Neh, à la taille considérable, qui les a saisis dans ses griffes énormes et les a transportés au sommet élevé de la montagne. Il les y a déposés, les a déchirés et, maintenant, il s'en repaît. Viens avec moi, volons jusqu'à cette montagne qui se dresse au milieu du désert et tu verras que je ne mens point. Je te montrerai le lion et le silure, gisant tout déchiquetés et l'oiseau Neh se repaissant de leur chair.

Les deux vautours s'élevèrent dans les airs et volèrent vers la montagne qui se dressait au milieu du désert. Quand ils y arrivèrent, ils virent que tout ce qu'ils avaient dit tous les deux était la pure vérité. Au sommet de la montagne, se tenait l'oiseau Neh, avec ses yeux d'être humain, ses ouïes de poisson, son corps de lion et sa queue de serpent. De son bec de faucon, il déchirait la chair du lion et du silure qu'il dévorait.

Le second vautour dit au premier :

— Observe que tout assassin reçoit sa punition. Qui a tué sera tué. Qui donne l'ordre du massacre périra dans un massacre. Le châtiment attend chacun, même le plus fort, même le plus puissant.

— L'oiseau Neh, la créature la plus puissante au royaume des animaux, recevra son châtiment, dit le premier vautour.

Il est atteint d'une maladie mystérieuse que Rê le tout-puissant lui a envoyée en punition de ses crimes. Contre elle, rien ne pourra le défendre. Je le vois déjà se débattre dans des fièvres affreuses et expirer. Tu as dit vrai ! Nul n'évite le juste châtiment, même le plus fort, même le plus puissant !

L'AMITIÉ DES DEUX CHACALS

Il y a bien longtemps, vivaient dans le désert deux chacals qui s'aimaient d'une amitié sincère. Toujours, ils s'entraidaient, jamais l'un n'abandonnait l'autre dans l'adversité. Ils étaient unis dans la joie comme dans le chagrin. Ils ne faisaient amitié avec aucun autre animal et passaient tout leur temps ensemble. Ensemble, ils recherchaient leur nourriture ; ensemble, ils mangeaient et buvaient et, quand les tourmentait la chaleur du soleil de midi, ensemble, ils se rafraîchissaient à l'ombre du même arbre, au milieu du désert.

Un jour qu'ils cherchaient leur nourriture, l'ami près de son ami, sur un terrain calciné et désertique, surgit brusquement devant eux un lion affamé qui chassait en quête d'une proie. Au lieu de fuir, pris d'épouvante devant cet implacable ennemi, les deux amis, comme sûrs de leur force, s'immobilisèrent. Voyant cela, le lion, stupéfait, leur demanda :

— Pourquoi ne vous êtes-vous pas enfuis à mon approche ? Ne voyez-vous pas que je suis en chasse ?

— Cela est vrai, ô seigneur ! Nous avons bien vu que tu étais en chasse et que tu allais te jeter sur nous, mais nous avons pris la décision de ne point fuir, répondirent les deux amis. Nous avons pensé que, de toute façon, aussi vite que nous galopions, tu nous rattraperais et qu'il était préférable pour nous que tu ne sois pas épuisé et faible. Ainsi, quand tu nous déchireras pour nous dévorer, nous souffrirons moins que si tu nous avais poursuivis et que tu étais fatigué. Nous préférons une mort rapide à une mort lente ; il est triste de mourir dans de grandes souffrances.

Le lion qui avait écouté avec grande attention les paroles du chacal, lui dit :

— Un noble roi n'est pas en colère d'entendre des paroles vraies et il sait reconnaître le courage et l'audace de ses sujets. Il doit être grand et généreux envers des êtres sans défense.

Sur ce, le roi du désert s'éloigna et, dès ce jour, il leur accorda la paix.

LE CHAT ET LE VAUTOUR

Le hasard fit que, sur un arbre, au milieu du désert, un vautour avait installé ses oisillons dans un nid et que, tout près, au flanc de la colline, vivaient un chat et ses chatons. Un tel voisinage n'est pas souhaitable, ni pour le vautour ni pour le chat. Le vautour n'osait pas s'envoler du nid pour aller chercher sa nourriture : le chat aurait pu tuer ses petits alors qu'il s'était éloigné pour leur trouver des proies ! Le chat non plus n'allait point à la chasse : il avait peur

que le vautour lui prenne ses chatons et les transporte dans son nid pour les donner à ses petits vautours affamés.

Le vautour dit un jour au chat :

— Nous ne pouvons vivre ainsi. Bientôt, nous et nos petits, allons mourir de faim. Il vaudrait mieux conclure entre nous un traité.

— Et quels seront les termes du traité ? demanda le chat.

— Promettons que nous ne tuerons pas les petits l'un de l'autre, quand ils resteront sans protecteur parce que, toi ou moi, nous serons à la chasse !

— Dommage de n'y avoir pas pensé plus tôt ! Nous nous sommes si longtemps tourmentés pour rien !

Ainsi, les deux voisins convinrent-ils de ne pas se faire de tort l'un à l'autre, accord qu'ils respectèrent tous deux scrupuleusement. Il semblait donc que tout était pour le mieux et que les petits allaient grandir en paix.

Un jour que le vautour était parti en chasse, l'un des chatons se mit à manger un morceau de viande. L'odeur alécha l'un des petits vautours qui vola hors du nid, se posa sur le sol et enleva au chaton sa pitance. Le chat voulut défendre son bien, il sauta sur l'intrus et lui planta ses griffes dans les corps. Le jeune vautour voulut s'enfuir, mais ses ailes trop faibles ne le portaient pas et il périt sous les griffes de son adversaire.

A son retour, le vautour, constatant le meurtre, décida de venger son petit.

— La prochaine fois que le chat partira en chasse, je massacrerai ses chatons, je les tuerai et j'en nourrirai mes petits !

Le lendemain, le chat partit en chasse mais, quand il revint, il n'avait plus personne à qui offrir ses proies. Le vautour avait pris tous les chatons, les avait tués et en avait nourri ses oiselets.

Le chat infortuné gémit et pleura et demanda au sort de punir de son crime le parjure vautour.

Le juste châtiment ne se fit pas attendre. Quelque temps après, vint à passer un chasseur qui s'arrêta au pied de l'arbre où le vautour avait son nid. Il alluma un feu pour faire rôtir son gibier.

Le vautour guetta le moment propice où le chasseur ne faisait pas attention, vola un morceau en train de rôtir et le porta dans son nid. Il ne s'était pas rendu compte que des charbons brûlants étaient accrochés au morceau de viande. Ils enflammèrent le nid et les petits vautours périrent brûlés vifs.

A ce moment, le chat s'approcha du pied de l'arbre et, voyant ce qui était arrivé, dit au vautour :

— Tu as eu, vautour, ce que tu méritais. Tu n'as pas respecté ta parole, tu as massacré tous mes enfants. C'est en vain que tu gémis : chacun reçoit un jour son dû et le criminel n'échappe jamais au juste châtiment.

LE CINQUIÈME JOUR

— *Déjà le dieu-Soleil illumine de ses rayons les deux royaumes, tu peux commencer tes récits, noble scribe, dit la reine Cléopâtre quand l'aube annonça un jour nouveau.*

— *La proue de notre vaisseau, Reine vénérée, noble prince, fend les flots vers un rocher élevé où le très glorieux pharaon, Ramsès le grand, fit tailler quatre statues gigantesques, expliqua le scribe.*

— *Je les vois ! Regardez ! Les voilà ! cria le prince Césarion. On croirait voir quatre géants pétrifiés !*

— *Aujourd'hui, noble Reine, noble prince, je vous parlerai de l'illustre et puissant souverain de notre patrie, de son fils, de son petit-fils et de l'extraordinaire pouvoir magique de ces deux princes.*

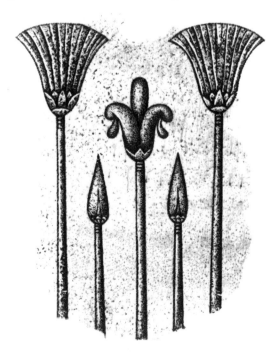

LA GUÉRISON MIRACULEUSE
DE LA PRINCESSE BENTRECH

Aux temps que seuls les pyramides et les sphinx ont gardés en mémoire, accéda au trône des Deux Royaumes, le plus célèbre de nos souverains, le glorieux pharaon Ramsès le Grand.

Dès le début de son règne, Pharaon prit la tête des quatre armées et de tous les chars de guerre pour se rendre en Asie et arrêter l'avance des Hittites, ses ennemis. Le jeune et courageux monarque se dirigea avec ses troupes vers la citadelle de Kadech.

Le roi hittite, à la tête de ses guerriers et de ses chars, tomba par surprise sur les arrières de l'armée du pharaon. Ceux des Égyptiens qui survécurent à la sauvage attaque des Hittites, cherchèrent leur salut dans la fuite.

Le pharaon Ramsès le Grand, leva ses regards vers la voûte des cieux et contempla le visage étincelant de Rê le tout-puissant. Alors le dieu-Soleil prononça ces paroles :

— Tu n'es pas seul car moi, ton père, je suis avec toi et mon bras est plus fort que cent et mille bras. J'aime les hommes courageux et je n'accorde mon aide qu'aux combattants téméraires.

Et le pouvoir magique de Rê, le dieu-Soleil étincelant, communiqua au pharaon une force et un courage surhumains.

Le grand pharaon Ramsès, à lui seul, opposa aux Hittites une résistance désespérée. Il combattait seul contre mille chars de guerre. Il fit sentir aux ennemis la puissance de son bras. Par centaines, ils tombaient à ses pieds et ceux qui ne périrent point, cherchèrent leur salut dans la fuite.

— Ce n'est pas un homme ! criaient-ils, pleins de terreur ; aucun homme n'a jamais été doué d'une force pareille ! On n'a jamais vu un homme seul, sans infanterie et sans chars, venir à bout de cent mille ennemis !

Ayant défait ses ennemis, le pharaon Ramsès se dirigea vers la mer.

Il aperçut un groupe de soldats sur la route. Il allait se jeter sur eux comme le lion se jette sur sa proie quand il reconnut des soldats égyptiens. C'était une division des forces qui gardaient la frontière. Il se mit à leur tête, rassembla les fuyards et retourna sur le champ de bataille où les Hittites étaient en train de se partager le butin.

Cette fois, ce fut le pharaon qui surprit ses ennemis. Le cœur et le bras des Hittites étaient égarés par la peur. Ils n'eurent pas la force de tirer une flèche ou de brandir un javelot. Le roi d'Égypte chassa devant lui les soldats ennemis vers le fleuve et les précipita à l'eau les uns après les autres. Ils s'y noyèrent et le pharaon leur portait les coups les plus terribles jusqu'à ce que la lassitude paralyse son bras.

Le cruel massacre ne s'arrêta qu'avec la nuit. Le roi ennemi n'avait pas été tué et, à la faveur de l'obscurité, il réussit à rentrer dans la citadelle de Kadech que Pharaon avec son armée affaible n'assiégea pas ; il se retira.

Le pharaon d'Égypte se rendait compte qu'il n'avait pas anéanti la puissance hittite et qu'il serait préférable de faire la paix et de devenir amis.

Ainsi, guerriers hittites et guerriers égyptiens se réunirent un beau jour et festoyèrent ensemble. Ils n'avaient plus qu'un même cœur, comme des frères jumeaux et ils oublièrent les torts qu'ils s'étaient causés mutuellement.

Quand au pharaon et au roi des Hittites, ils se partagèrent la domination sur le monde et se promirent d'être à jamais alliés contre leurs ennemis.

Pharaon se retrouva ainsi régner sur de nombreux pays, sur de vastes contrées, sur de grandes villes qu'il ne connaissait pas et il décida de partir en voyage pour les visiter.

Un jour, le pharaon arriva avec toute sa cour dans une très grande ville, l'antique Babylone. De tous les coins de la Mésopotamie, rois et princes accoururent pour lui rendre hommage. Ils apportaient au pharaon des cadeaux magnifiques : de l'or, des pierres précieuses, des turquoises, du bois d'ébène et maints autres trésors.

Mais le prince de Bakhtan fit le cadeau le plus précieux, car il amena au pharaon sa propre fille, disant :

— Longue vie à toi, Grand Pharaon, souverain de la terre entière ! Je t'amène ma fille préférée, le plus cher trésor de toute ma principauté !

Le pharaon d'Égypte posa ses regards sur la jeune fille et son cœur s'enflamma. Il n'avait jamais vu jeune fille aussi belle ! Sans hésiter, il proclama :

— Prince, j'accepte ton présent ! C'est le plus beau, le plus précieux que j'aie jamais reçu. Sache que je donnerai à la princesse le nom de Neferourê, celle à qui Rê a donné la beauté, et que j'en ferai mon épouse royale. Je ferai publier son nom pour qu'il soit honoré en Égypte et dans tous les pays qui m'appartiennent. Scribes, consignez mes paroles ! Telle est ma volonté !

Il en fut fait selon la volonté du pharaon. Le peuple rendit avec joie hommage à la reine Neferourê dans tout l'immense empire.

Mais rien ne dure éternellement, toute chose a une fin. Et les longs et lointains voyages du pharaon vinrent un jour à leur terme ; le souverain regagna son palais.

Et les jours et les semaines se succédaient calmement comme les eaux dans le delta du Nil et aucun événement ne venait interrompre leur cours tranquille. Et le peuple d'Égypte se réjouit quand vint le temps des fêtes offertes au dieu-Soleil, Rê le tout-puissant. Les barques portant des lumières et des flambeaux voguaient sur le Nil et les prêtres menaient de temple en temple la barque sacrée de Rê, toute garnie d'or.

Le pharaon Ramsès et la reine Neferourê se tenaient dans le grand temple de Rê quand, à leurs pieds, se jeta le grand scribe, premier conseiller du pharaon, qui cria :

— Longue vie, force et bonheur à toi, grand pharaon ! Écoute, puissant souverain ! Il y a ici l'envoyé du prince de Bakhtan et il apporte des présents pour ta noble épouse Neferourê.

— Qu'il vienne et dépose les présents à nos pieds, ordonna le pharaon.

L'envoyé fut introduit. Il se prosterna devant les souverains en portant la main à ses lèvres. Puis, il fit apporter les présents et dit :

— Ô Pharaon, maître de la vie et de la mort, longue vie et bonheur à toi éternellement ! J'apporte un message de ton fidèle sujet, le prince de Bakhtan. Il concerne la princesse Bentrech, jeune sœur de ta noble épouse, la reine Neferourê. La princesse est atteinte d'une grave maladie. Personne, dans notre pays, ne connaît cette maladie ni le moyen de la guérir. Mon maître te supplie de lui envoyer le plus sage et le plus savant de tes magiciens. Car nulle part au monde il n'y a si habiles maîtres en sortilèges et en enchantements qu'en Égypte.

Le pharaon Ramsès fit appeler dans la grande salle l'assemblée de tous les sages, scribes et magiciens d'Égypte et il leur ordonna :

— Choisissez parmi vous le magicien le plus savant et le plus habile ! Je l'enverrai dans la principauté de Bakhtan afin qu'il y soigne la jeune sœur de ma royale épouse Neferourê.

Les sages se concertèrent et choisirent le premier dignitaire de la cour. Celui-ci ne s'attarda pas et, accompagné de l'envoyé du prince, se mit en route, pour la Mésopotamie. Après un long et éprouvant voyage à travers des déserts brûlants, le magicien égyptien arriva auprès de la princesse Bentrech.

Tout de suite, il prononça plusieurs formules et incantations magiques. Il découvrit bientôt qu'un démon malfaisant avait pris possession du corps de la princesse. Mais toutes ses opérations magiques restèrent vaines, le démon n'abandonna pas le corps de la princesse.

Et le sage dit au prince :

— Il n'est pas au pouvoir d'un simple mortel de chasser un démon si puissant. Mais je te donnerai un conseil, noble prince ! Envoie encore un des tiens en Égypte et implore l'aide du puissant dieu-Lune, Khonsou. Lui pourra vaincre ce démon.

— Tu seras mon envoyé, sage conseiller, répondit le prince. Prépare-toi immédiatement à retourner en Égypte. Une garde nombreuse t'accompagnera, ainsi que des porteurs chargés de riches présents pour le grand Khonsou.

Le glorieux pharaon Ramsès le Grand accueillit l'ambassade du prince de Bakhtan et ils se rendirent sans attendre au temple de Thèbes où se tenait le dieu-Lune Khonsou.

Dans le sanctuaire, à l'endroit le plus secret où seul le pharaon et les plus anciens des grands prêtres pouvaient pénétrer, se dressait une grande statue du dieu, le grand Khonsou. C'était la demeure du dieu. Près de la grande statue, il y en avait une autre, plus petite que les prêtres sortaient du temple lors des fêtes annuelles de Khonsou, afin de la montrer au peuple. Ils la promenaient par les rues de Thèbes et sur les berges du Nil.

Le pharaon Ramsès le Grand se tint debout auprès de la grande statue du dieu Khonsou, et demanda :

— Ô dieu Khonsou, grand et puissant, je viens t'adresser une prière. Épargne la princesse Bentrech, la jeune sœur de mon épouse vénérée. Que ton esprit, ton Ka tout-puissant, pénètre dans ta petite statue et que tu ailles ainsi en Mésopotamie pour chasser le démon malfaisant qui a pris possession de la princesse infortunée.

Le dieu-Lune donna son accord car la tête de la grande statue s'inclina par deux fois. Et, aussitôt après, la tête de la petite statue répéta ce geste d'assentiment.

Le pharaon la saisit respectueusement et la porta hors du temple où les attendaient les envoyés du prince de Bakhtan, conduits par le haut conseiller égyptien. Le souverain leur remit la statue et leur rapporta ce qui s'était passé à l'intérieur du temple. Ils furent très heureux et se mirent en route sans tarder pour Bakhtan.

Quand, après un long et pénible voyage, ils arrivèrent au palais, le prince se jeta à genoux devant la statue, frappa la terre de son front et s'écria :

— Gloire à toi, grand Khonsou ! Gloire à toi qui es venu jusqu'à nous ! Dispense-nous tes bontés, protège-nous du mal ! Et souviens-toi des promesses que tu as faites au glorieux pharaon d'Égypte, Ramsès le Grand !

Les envoyés portèrent la statue dans la chambre de la princesse Bentrech. A la minute même, le démon malfaisant sortit du corps de la princesse et elle recouvra la santé.

Le démon s'approcha de la statue du grand dieu Khonsou. Il s'inclina avec respect et dit :

— Ô grand Khonsou, puissant dieu, tu nous apportes à tous la paix et le bonheur. Bakhtan sera désormais ta patrie et tous te rendront hommage. Je m'incline devant toi et je me proclame ton esclave ! Permets-moi de retourner là d'où je suis venu. Plus jamais je ne viendrai tourmenter la princesse Bentrech !

Le prince et tous ses sujets avaient frémi de crainte en entendant le démon prendre la parole.

Mais s'éleva la voix mélodieuse du dieu-Lune, le puissant Khonsou :

— Ma demeure est en Égypte, à Thèbes. J'y retourne sur l'heure !

Et l'esprit de Khonsou prit la forme d'un faucon d'or. Plus vite que les rayons de lumière, transversant à tire-d'aile déserts et montagnes, il regagna son sanctuaire dans le temple de Thèbes.

Le prince, le premier conseiller du pharaon, tous les serviteurs et tous les gardes furent frappés de stupeur.

Le premier, le prince de Bakhtan retrouva ses esprits et ordonna immédiatement à l'envoyé du pharaon :

— Emporte la statue de Khonsou, le dieu grand, en Égypte, et fais aussi vite qu'il te sera possible ! Rapporte au pharaon que le grand Khonsou, par sa force divine, a vaincu le démon et l'a chassé du corps de la princesse Bentrech, puis que sous la forme d'un faucon d'or il est reparti pour l'Égypte.

Puis, le prince fit avancer deux grandes charrettes, les fit lourdement charger de cadeaux précieux pour le grand dieu Khonsou. L'envoyé du pharaon ne perdit pas de temps et se mit en route.

Accompagné de sa royale épouse, de ses hauts dignitaires et de tous les sages du pays d'Égypte, le pharaon Ramsès le Grand lui-même vint accueillir la statue de Khonsou, le dieu grand. Et ils la replacèrent dans sa demeure avec tous les présents magnifiques, dans le temple de Thèbes.

Le grand dieu-Lune Khonsou souriait au pharaon et à sa royale épouse Neferourê, et il leur accorda la santé et le bonheur.

L'HOMME QUI PILLAIT
LE TRÉSOR DU PHARAON

Pendant bien des années, régna sur notre pays l'illustre pharaon Ramsès le Grand. Il dut sa gloire et sa renommée à ses triomphes sur tous les ennemis de l'Égypte. Les guerres terminées, il assura la paix. Avec elle, refleurirent les métiers et le commerce, et l'Égypte s'enrichit considérablement.

Le trésor royal débordait d'or, d'argent et de pierres précieuses. Voyant son trésor s'accroître de la sorte, le pharaon se mit à redouter les voleurs.

Un jour, le pharaon fit appeler son grand maçon et lui fit part de ses préoccupations :

— Je veux que tu me construises une grande et solide maison pour mes trésors. Tu n'y feras pas de fenêtres et que les murs soient de dur granit. L'entrée en sera défendue par trois portes. La première sera de granit également et si bien dissimulée que les gens croiront qu'il n'y a point d'entrée. Que la deuxième soit de fer, la troisième de bronze.

Le grand maçon respira la terre devant son souverain et dit :

— Glorieux Pharaon, maître du monde, tout sera fait selon ton désir. Je construirai une maison plus solide qu'un bloc de granit !

Puis, le pharaon fit appeler le grand serrurier et lui dit :

— Que chaque porte de cette maison ait une serrure différente et, pour chaque serrure, ne fais qu'une clé unique. Personne ne doit pouvoir entrer, ta vie m'en répondra. Telle est ma volonté !

Le grand maçon construisit la maison qu'avait souhaitée le pharaon. Mais c'était un homme rusé, malin plus qu'un renard, et il imagina un stratagème. Il aménagea un passage dans le mur arrière qu'il boucha avec une des pierres de taille. Un seul homme pouvait faire mouvoir cette pierre. Il devait, bien sûr, savoir où était le passage et quelle pierre il fallait déplacer.

Le pharaon examina la construction et fut extrêmement satisfait. Il ferma soigneusement toutes les portes, déposa les clés dans sa cachette secrète et récompensa généreusement son maçon.

Le maçon ne profita pas longtemps de sa richesse. Une grave maladie s'abattit sur lui et le malheureux se rendit compte que ses jours étaient comptés. Il appela auprès de lui ses deux fils et leur révéla le secret de la maison du trésor royal. Il leur souhaita une vie heureuse et leur conseilla d'user du trésor royal avec raison et modération. Il sourit à ses enfants et rendit le dernier soupir.

Mais les fils ne suivirent pas le sage conseil de leur père. A peine avaient-ils enterré le défunt avec tout le respect habituel, que la convoitise se mit à les tourmenter. La nuit même, il se rendirent à la maison forte, firent mouvoir la pierre dans le mur arrière et, par l'orifice, ils se glissèrent dans la salle du trésor. Quel ne fut pas leur émerveillement quand ils eurent allumé la lampe à huile ! Sur le sol, étincelaient des tas de joyaux d'or et d'argent et les coffres débordaient de pierres précieuses. Quand ils reprirent leurs esprits, ils se ruèrent sur ces richesses et prirent tout ce qu'ils pouvaient porter d'or, d'argent et de pierres précieuses.

Les frères se mirent à mener joyeuse vie. Ils s'achetèrent une vaste maison avec un grand jardin et un lac et, jour après jour, ils y firent venir des chanteuses et des danseuses, organisant pour leurs amis grands festins et divertissements.

Leur mère ne savait pas d'où ses fils tiraient de si grandes richesses et elle s'inquiéta.

— N'aie crainte, lui dirent-ils, nous connaissons une source qui ne se tarit pas, même par grande sécheresse !

Ils n'en dirent pas plus à leur mère.

Un jour que le pharaon était venu dans la maison pour réjouir son regard de ses richesses, il n'en crut pas ses yeux. Les tas d'or et d'argent avaient diminué et les coffres de pierres précieuses s'étaient vidés ! Les clés étaient toujours en sa possession, les murs étaient intacts et, pourtant, quelqu'un s'était introduit dans les salles du trésor et les avait pillées. Furieux, le souverain s'en retourna à son palais, se demandant comment attraper le voleur. Pendant la nuit, quand tout fut endormi, il retourna à la maison forte et, autour des trésors, il installa des pièges.

Quelque temps après, les frères rendirent à nouveau visite au trésor royal. Le frère aîné avança sans méfiance vers le coffre aux joyaux quand, tout à coup, quelque chose fit entendre un sinistre grincement, une douleur intense s'empara de sa jambe et il fut immobilisé. Il poussa un cri de désespoir :

— Ô mon frère, je suis pris au piège ! Viens à mon secours !

Mais ce fut en vain que le jeune frère tenta de le délivrer.

— Quel malheur ! gémit le frère aîné. Demain matin, le pharaon me trouvera et me reconnaîtra sûrement ! Il fera chercher notre mère et toi-même et vous mettra tous deux à la torture. Et s'il ne nous fait pas exécuter, il nous condamnera à passer toute notre vie dans les mines ou dans les carrières. Frère chéri, tire ton épée et tue-moi !

Coupe ma tête, emporte-la, enterre-la cette nuit même ! Sans tête, pharaon ne pourra pas m'identifier et notre mère et toi éviterez sa vengeance.

Le cœur plein de douleur, le jeune frère tira son épée du fourreau et coupa la tête de son aîné. Puis il emporta ses habits et sa tête coupée. Et, la nuit même, il ensevelit la tête de son malheureux frère dans la tombe familiale.

Dès l'aube du jour suivant, le pharaon pénétra dans la salle du trésor et fut frappé de stupéfaction. Un cadavre sans tête gisait, pris au piège. Il se rendit compte que le voleur n'avait pas été seul.

Mais rien, pas une trace, ne révélait pas où les voleurs étaient entrés et comment le survivant était ressorti. Le pharaon était bien décidé à attraper le voleur vivant. Il fit suspendre le corps à la porte du palais de façon que tous puissent le voir. Il envoya des gardes avec l'ordre de se saisir de quiconque pleurerait en voyant le cadavre ou tenterait de l'emporter.

Le plus jeune des deux frères fut bien obligé de tout révéler à sa mère. La mère gémit, se lamenta et rien ne pouvait la calmer. Elle ne se remit que quand son plus jeune fils lui jura qu'il enlèverait le cadavre de son frère et lui donnerait une sépulture décente.

Le jeune frère était très intelligent et tenait de son père une imagination habile. Il prit les vêtements et l'apparence d'un vieux marchand, acheta quelques ânes, emplit d'un vin fort et enivrant des outres de peau et les chargea sur ses ânes. Puis, il se dirigea vers l'endroit où la garde surveillait le cadavre de son frère ; arrivé là, il piqua les ânes à l'aide d'un gros aiguillon et il creva les outres. Les bêtes se mirent à sauter et à se bousculer tandis que le vin coulait à flot.

Le faux marchand courait d'un âne à l'autre, d'une outre à l'autre en appelant désespérément au secours.

Les soldats riaient à gorge déployée.

— Qui a jamais vu transporter du vin dans de vieilles outres percées ! Cet imbécile a voulu économiser le prix de bonnes outres, mais il a fait un mauvais calcul !

Les soldats firent encore maintes plaisanteries. Mais, tout à coup, une idée leur vint. Ils se précipitèrent vers les ânes et se mirent à boire le vin qui se répandait. Pourtant, ils ne pouvaient pas boire ainsi tout ce vin. Ils furent aux cuisines chercher des cruches en terre et les remplirent de vin. Puis ils s'assirent en rond autour de leur butin, vidant cruche sur cruche. Ils burent tout ce qu'ils pouvaient jusqu'à ne plus tenir debout, tout en continuant à railler le malheureux marchand. Le faux marchand restait là, l'air affligé, à contempler cette beuverie. Mais, intérieurement, il se réjouissait de la réussite de ses plans. Le vin leur montant à la tête, les soldats commençaient à plaindre et à cajoler le faux marchand. Le voleur s'assit avec eux et fit mine de boire. Les soldats vidèrent encore une cruche après l'autre et leur raison sombra dans le vin. Tout d'abord, la fatigue s'empara d'eux. Au crépuscule, ils bâillaient tous et, quand la première étoile apparut dans les cieux, ils dormaient d'un profond sommeil.

Quand les ténèbres recouvrirent toute la ville, le faux marchand décrocha le cadavre de son frère, le posa sur l'un des ânes, le cachant sous les outres vides. Avant de s'en aller, il rasa la moitié droite de la tête à tous les gardes endormis. Bien content, il rentra chez lui et ensevelit le corps de son frère.

Le matin, à son réveil, le pharaon regarda par le fenêtre et pensa qu'il perdait la vue ! Il n'y avait plus de corps pendu à la porte ! Il envoya chercher les soldats qui devaient le garder. Quand il les vit, encore tout endormis, éberlués, et la moitié de la tête rasée, il se rendit compte qu'on l'avait joué. Il entra dans une fureur extrême. Il rugissait comme un lion furieux, ordonna aux soldats de coucher à terre les gardes fautifs et de leur administrer dix coups de bâton sur la plante des pieds. Puis, il fit appeler tous ses conseillers, ses magiciens, ses scribes et leur ordonna de trouver un moyen d'attraper le voleur. Donner un conseil n'était pas chose aisée. Aucun des sages ne dit mot.

Finalement, ce fut la fille aînée du pharaon, aussi rusée qu'elle était belle, qui trouva une idée.

— Glorieux Pharaon, mon père bien-aimé, je sais comment nous attraperons le voleur ! Je prendrai les habits d'une noble dame venue d'une contrée lointaine et je ferai annoncer que je prendrai pour époux l'homme qui, au cours de sa vie, aura accompli le crime le plus affreux et manigancé le stratagème le plus habile. Ordonne à tes gens qu'ils installent un camp aux abords de la ville et je m'y rendrai dès le matin.

Le pilleur de trésor devina tout de suite qui était la noble dame. Il se dit qu'une fois encore il se jouerait du pharaon, et de sa fille par la même occasion. Quand le soleil alla vers son couchant et que les ombres s'allongèrent sur la terre, il alla rendre visite à la princesse. Sous son manteau, il avait dissimulé le bras d'un condamné que le pharaon avait fait exécuter le matin même. Il l'avait acheté pour une poignée d'or au gardien du cimetière.

— Noble princesse, dit le voleur sans détour à la prétendue dame étrangère. Je serais heureux que tu deviennes mon épouse.

— Dis-moi donc quel crime affreux tu as commis dans ta vie et quel habile stratagème tu as imaginé, lui répondit tout de suite la princesse. Si je n'ai encore jamais entendu parler d'un crime aussi affreux et d'un stratagème aussi habile, je te prendrai volontiers comme époux.

Le soleil se couchait et des ténèbres profondes avaient envahi le camp quand le voleur de trésor conta ses aventures.

Alors la princesse saisit le voleur par le bras et cria :

— A la garde ! A moi ! Vite ! Je tiens par le bras l'homme que recherche le pharaon !

Mais avant que les gardes n'arrivent avec des flambeaux et des lumières et ne pénétrent dans la tente, le voleur s'éclipse silencieusements sans que personne ne l'ait vu.

La princesse ne put montrer que le bras raide et froid d'un cadavre.

Quand le pharaon apprit le nouveau tour de cet habile homme, il dit :

— Un homme si intelligent ne mérite pas un châtiment ! L'Égypte se vante auprès des autres nations de son intelligence et cet homme est bien le plus avisé de notre pays. Il vaut mieux que je l'utilise plutôt que de le punir. Allez et publiez par toute la ville que je lui pardonne toutes ses fautes passées et que je le récompenserai généreusement si, à partir de ce jour, il me sert fidèlement et respectueusement. Ceci est ma volonté et mon ordre !

A cette époque, la parole donnée du pharaon était plus sûre et plus ferme qu'un roc de granit ! Et le voleur, sans crainte, se rendit au palais. Il dut faire à son souverain un récit véridique. Et, comme la parole donnée par la princesse avait valeur entière, la fille du pharaon tint aussi sa promesse. Elle pria son père d'accepter pour gendre le pilleur de trésor. Il faut dire qu'au premier regard, ce jeune homme hardi et intelligent avait touché son cœur. Le pharaon ne fit pas d'opposition. Les services que pouvait lui rendre un gendre aussi intelligent avaient plus de prix que tous les trésors enfermés dans la maison de granit accolée au palais.

Et c'est ainsi que le jeune frère épousa la princesse et devint le serviteur fidèle et le conseiller du glorieux pharaon.

LE PAPYRUS MAGIQUE

A l'époque de la plus grande gloire du puissant pharaon Ramsès le Grand, son fils, le prince Khamouas était le meilleur magicien, le plus sage et le plus savant des scribes.

Alors que les autres princes passaient leur temps dans les divertissements, à chasser les bêtes sauvages ou à des exercices militaires, le prince Khamouas étudiait dans la bibliothèque royale ou à l'intérieur des vieux temples. Il consultait les papyrus magiques, les écrits mystérieux et les formules incantatoires qui couvraient les murs des sanctuaires, cherchant jour après jour le sortilège le plus puissant qui soit.

Rê le tout-puissant chérissait ce prince studieux et résolut d'éprouver la sagesse du jeune magicien. Il prit l'apparence d'un vieillard chenu et se montra au jeune seigneur dans un temple désaffecté où il se tenait souvent.

— D'où viens-tu, vieillard ? lui demanda le prince. Jamais encore, je n'avais rencontré ici créature humaine !

— Pourtant, prince, j'étais souvent ici. Mais tu étais si absorbé dans tes recherches, si concentré en toi-même, que tu ne m'as jamais remarqué. Tu es à la recherche de puissants sortilèges, n'est-il pas vrai ?

— Comment le sais-tu ? Et d'où me connais-tu ? lui demanda Khamouas, étonné.

— Je sais tout, prince ! répondit le vieillard avec un sourire. Et je sais où est caché le papyrus magique le plus puissant au monde. Il appartient à Rê le tout-puissant qui a consigné sur la première face des charmes et sortilèges. Mais la sagesse voudrait qu'on ne le cherche point. Rê punit sévèrement quiconque tente de s'en emparer.

— Où puis-je trouver ce papyrus ? dis-le moi ! supplia le prince. Il faut que je l'aie, quoi qu'il arrive !

— Je te dirai donc, prince, où tu peux le trouver. Dans l'ancienne nécropole, à la sortie de la ville, se trouve la tombe du prince Naneferkaptah. Pénètre dans cette tombe. A l'intérieur de la chambre souterraine, tu verras l'âme de Naneferkaptah, de son épouse Ahoura et de leur fils Merib qui se tiennent sur des sièges devant le sarcophage. Le papyrus magique est à terre entre eux, celui que Rê le tout-puissant a écrit de sa main.

Ayant dit ces mots, le vieillard s'évapora comme la vapeur au-dessus des eaux matinales. Le prince Khamouas se précipita au palais royal, se prosterna devant son père, le grand pharaon Ramsès et le supplia :

— Glorieux seigneur, ô mon vénéré père, je viens d'apprendre que le papyrus magique du puissant Rê est déposé dans la tombe du magicien Naneferkaptah. Permets que mon frère Inaros et moi pénétrions dans cette tombe pour rapporter ce papyrus !

— Tu es plein de sagesse, mon fils ! Tu es savant et connais bien des choses. Sans doute ton souhait est-il judicieux ! Prends avec toi ton frère Inaros et allez à la recherche de ce papyrus. Je sais que tu brûles du désir de le posséder !

Khamouas se rendit à l'ancienne nécropole avec son frère. Ils passèrent trois jours et trois nuits en de vaines recherches. Le quatrième jour, au moment où Rê le resplendissant allait dans son vaisseau de soleil franchir les portes du royaume des morts, ils trouvèrent la tombe à moitié en ruines de Naneferkaptah.

Ils y pénétrèrent, déplacèrent la dalle de pierre qui cachait l'entrée du puits secret, suivirent un étroit couloir qui les mena à la chambre souterraine qui brillait d'une clarté bleuâtre. Au centre, sur un support d'or fin, ils virent un cercueil et, un peu en arrière, sur des sièges, se tenaient les âmes de Naneferkaptah, de son épouse et de leur fils. Auprès d'eux se trouvait le papyrus magique.

— Qui es-tu ? que désires-tu ? pourquoi viens-tu troubler notre paix ? demanda l'âme d'Ahoura.

Khamouas avança encore :

— Je suis le prince Khamouas, fils du glorieux pharaon Ramsès le Grand, répondit-il, le cœur battant. Je viens chercher le papyrus magique écrit de la main de Rê qui se trouve auprès de vous !

— Retourne vite auprès des mortels, ceux qui marchent sur la terre et que le soleil d'or réchauffe de ses puissants rayons ! ordonna l'âme de Naneferkaptah.

— Ne porte pas la main sur ce papyrus, reprit l'âme d'Ahoura ! Ne tente pas de t'approprier le grand sortilège de Rê. Nous avons payé notre audace d'horribles souffrances. Nous avons perdu le bonheur et la vie et nous endurons encore un supplice après notre mort car, en punition, nous devons le garder !

— Je te le conseille aussi, laisse le papyrus là où il est ! reprit l'âme de Naneferkaptah. Tout, en ce monde, a sa place !

— Je vais te conter la triste histoire de notre malheureux destin, ajouta l'âme d'Ahoura. Quand tu l'auras entendue, ton désir de posséder le papyrus magique t'abandonnera.

Le prince Khamouas s'approcha encore, s'apprêtant à écouter.

— Mon époux, le prince Naneferkaptah était un grand magicien, un sage, il avait déchiffré toutes les inscriptions que recelaient les tombes des anciens pharaons dans leurs pyramides. Un jour qu'il déchiffrait des écrits sur les murs d'un temple très ancien, il rencontra un vieux prêtre qui observait en souriant ses efforts.

— Rien de ce que tu trouveras ici n'a la moindre valeur, lui dit le vieux prêtre après un moment. Je pourrais t'enseigner où est le papyrus magique que Rê a écrit de sa propre main. Tu y apprendrais des choses qu'aucun des simples mortels n'a jamais pénétrées.

Les paroles du prêtre inconnu ensorcelèrent mon époux qui se mit à brûler du désir de posséder ce mystérieux et puissant papyrus magique.

— Par la vie du pharaon, mon père, je veux savoir où est le papyrus de Rê. Je te donnerai tout ce que tu me demanderas pour que tu me le dises ! supplia-t-il.

— Je te dirai où trouver ce papyrus, répondit le vieillard mais, auparavant, tu me donneras cent lingots d'argent et tu me promettras de m'ensevelir après ma mort dans une tombe royale.

Quand le prêtre eut obtenu ce qu'il désirait, il dévoila au prince le fatal secret :

— Le papyrus de Rê gît dans les profondeurs de la mer de Coptos. Il est enfermé dans un coffret de fer. A l'intérieur de ce coffret, il y a un coffret de bronze, tu y trouveras un coffret en bois de santal, puis un coffret d'ébène incrusté d'ivoire, enfin une cassette d'argent qui contient une cassette d'or qui recèle le papyrus magique. Tout autour, pullulent les serpents et les scorpions. Le serpent immortel étreint le coffret de fer de son long corps puissant et ne permet à aucun mortel d'y porter la main.

La convoitise pour ce papyrus tourmentait le prince Naneferkaptah. Il revint à la maison et me conta ce qui lui était arrivé.

— Ne va pas vers cette mer, ne cherche pas ce papyrus, le pressai-je. Le malheur te guette et je ne veux point te perdre !

Mon époux ne prêta pas attention à mes prédictions et à mes

plaintes. Il se rendit auprès du pharaon, son père et lui demanda son vaisseau royal. Nous montâmes à bord avec notre fils et nous partîmes vers le sud.

Quand nous fûmes à Coptos, le prince se fit apporter de la cire vierge, modela un vaisseau avec ses rames et ses rameurs. Il le jeta sur les eaux, prononça quelques incantations et le vaisseau de cire devint un vaisseau véritable. Puis il insuffla la vie aux rameurs et leur ordonna d'embarquer du sable puis de naviguer vers l'endroit où se trouvait le papyrus de Rê. Trois longs jours, trois longues nuits, ils firent force de rames avant que nous arrivions à l'endroit désiré. Le prince jeta devant lui du sable, cria avec force des paroles magiques et les eaux se fendirent. Sur le fond, grouillaient serpents et scorpions. Au centre, gisait un coffret de fer. Le serpent immortel l'étreignait de son long corps puissant.

D'une formule magique, mon époux changea serpents et scorpions en des lézards inoffensifs. Mais aucun de ses sortilèges n'agit sur l'immortel serpent. Il saisit sa dague acérée et se lança hardiment dans les profondeurs marines. Au moment même où le serpent dressait vers lui sa tête venimeuse, il l'abattit d'un coup de dague. Immédiatement, la tête coupée se réunit avec le corps et le serpent, toujours vivant, se retourna contre lui. Il décapita le monstre une deuxième fois, mais pour la seconde fois, celui-ci retrouva la vie. Le prince se rendit compte qu'il fallait utiliser la ruse. Pour la troisième fois, il trancha la tête affreuse et, avant qu'elle n'ait pu se réunir avec le corps, il enfouit dans le sable les deux parties du corps monstrueux. La tête ne rejoignit pas le corps et le serpent immortel était devenu inoffensif. Quand le prince s'empara du coffret de fer, le serpent l'observa de ses yeux étincelants, la tête coupée s'agita et le corps sans tête se tortilla comme sur des charbons ardents, mais il ne pouvait plus blesser le prince.

Le prince Naneferkaptah ouvrit tous les coffrets l'un après l'autre et découvrit enfin le papyrus de Rê.

Mon époux déchiffra la première face de ce papyrus inestimable et, par un puissant sortilège, ensorcela les cieux, la terre, les montagnes et l'empire souterrain. Il comprit à l'instant ce que chantaient les oiseaux dans les airs et ce que disaient les bêtes, les reptiles et les poissons. De toutes parts, serpents et scorpions sifflaient : « Le trépas te menace ! Le trépas te menace ! » La tête du serpent immortel grondait : « Rê te tuera ! Tu mourras ! Tu mourras ! »

Naneferkaptah lut précipitamment la seconde face du papyrus, regarda vers les cieux et frémit d'épouvante. Désormais, il avait le pouvoir de lire dans les étoiles les plus insondables mystères. Et il venait d'y voir qu'il allait mourir bientôt.

Il retourna à son vaisseau, prononça sa formule magique et les eaux se refermèrent. Il ordonna aux rameurs de retourner immédiatement d'où ils étaient venus. Au matin du quatrième jour, ils étaient en vue de la côte. J'attendais là mon époux, dans les affres de l'inquiétude.

Je l'accueillis avec grande joie. Puis, dévorée de curiosité, je priai le prince de me montrer le papyrus de Rê. Je lus attentivement la première face du papyrus et je pénétrai à l'instant le plus puissant sortilège du monde.

Mais le divin sortilège s'effaçait de la mémoire du prince. Afin de ne pas l'oublier, il prit une feuille de papyrus, y recopia les formules magiques et plongea le papyrus et ses écrits dans une coupe de bière. Les écrits s'y fondirent et le prince but la bière contenant les écrits. Ainsi, il possédait à jamais le sortilège de Rê. Il ne pourrait plus l'oublier. Puis, il reprit à ses rameurs le souffle qu'il leur avait donné et le vaisseau de cire disparut.

Nous ne nous attardâmes point à Coptos. Dès le lendemain matin, nous montâmes à bord du vaisseau royal et nous voguâmes en direction du nord vers la capitale royale. Rê différa son courroux et, déjà, nous apercevions le port et nous nous réjouissions d'avoir effectué sans encombre ce périlleux voyage. Tout à coup, une force mystérieuse nous enleva, mon fils et moi, nous jeta à la mer et nous précipita brutalement jusqu'aux abîmes. Mon époux prononça au-dessus des flots une formule incantatoire, l'une des plus puissantes formules des sortilèges de Rê, et nos corps, arrachés des profondeurs, remontèrent sur le pont du vaisseau. Mais aucun sortilège ne put nous ramener à la vie. Il me fut donné seulement de reprendre souffle pour prononcer quelques mots et je dis à mon époux :

— Rê le tout-puissant te punit pour avoir dérobé le papyrus magique. Pendant deux jours, tu supporteras les indicibles souffrances que connaissent les cœurs aimants : la douleur d'avoir perdu ceux qu'ils chérissaient le plus. Le troisième jour, un serpent venimeux, message de la vengeance de Rê, te mordra. Tu périras, mon cher seigneur, mon époux infortuné ! Que le papyrus de Rê soit enseveli avec nous dans la tombe ! Tous trois, nous monterons la garde au cas où quelqu'un voudrait s'en emparer. Telle est la volonté de Rê ! Ainsi, nous rachèterons notre faute. Au revoir, à dans trois jours, mon seigneur, mon époux bien-aimé !

Mon époux retourna vers son père dans une affreuse tristesse. Le cœur lourd, il lui conta notre voyage pour trouver le papyrus magique de Rê et sa fin lamentable. Le pharaon domina sa douleur et lui ordonna de se rendre au temple de Rê et d'attendre là son juste châtiment. Comme je l'avais prédit, le troisième jour, un serpent, messager de la vengeance de Rê, mordit le prince. Que notre triste sort soit un avertissement pour les téméraires qui voudraient s'emparer du papyrus de Rê !

Khamouas écouta les récits d'Ahoura mais son désir de posséder le divin papyrus était si puissant qu'aucune menace de malheur ne pouvait l'arrêter. Il était même prêt à affronter la mort. Il tendit la main vers le papyrus de Rê.

— Khamouas, cria l'âme de Naneferkaptah, ne touche pas à ce papyrus ! Nous allons le jouer aux dames. Si tu gagnes, le papyrus sera à toi. Si tu perds, tu remettras ton sort entre nos mains ! ajouta l'âme de Naneferkaptah.

Khamouas se rapprocha de son frère et lui demanda de retourner au palais et de lui apporter tous ses livres de magie et ses amulettes.

Quand il revint dans la chambre funéraire, une boîte de jeux en argent se trouvait sur la table.

Khamouas ne différa pas et avança le premier pion. Son extra-

ordinaire adversaire murmura une formule mystérieuse et se mit à jouer aussi. Il lança une attaque hardie. Le prince se défendit comme il pouvait. Mais il ne put résister longtemps aux attaques de cet esprit désincarné ! Il avait perdu !

Naneferkaptah saisit la boîte de jeux, en asséna un coup violent sur la tête de Khamouas qui s'enfonça dans le sol jusqu'aux mollets.

— Reconnais-tu ta défaite ? demanda-t-il.

— Non ! répondit vivement Khamouas. Encore une partie !

Khamouas perdit encore la seconde partie. Naneferkaptah enfonça le prince dans le sol jusqu'au ventre.

— Encore une partie ! pria Khamouas.

Et son adversaire surnaturel vainquit encore le prince et l'enfonça dans le sol jusqu'au cou.

Mais alors survint Inaros, le frère de Khamouas, qui brandit les amulettes au-dessus de la tête du prince.

La terre relâcha alors sa proie. Khamouas bondit, s'empara du papyrus et se précipita hors de la tombe. Son frère Inaros le suivit.

Quand ils quittèrent la tombe, la lumière brillait devant eux et les ténèbres se refermèrent derrière eux.

On entendait dans l'air le doux gémissement d'Ahoura et la voix calme de Naneferkaptah qui la consolait.

— Ne pleure pas, ô ma bien-aimée, Khamouas rapportera le papyrus ! Il sera très heureux de pouvoir le rapporter !

Les deux frères sortirent de la nécropole, refermèrent toutes les portes derrière eux et allèrent vers leur père, le puissant pharaon Ramsès le Grand afin de lui rendre compte de ce qui leur était arrivé.

Quand le pharaon Ramsès le Grand entendit leur récit, son front s'assombrit et il dit à Khamouas :

— Malheureux ! Ta convoitise t'a rendu aveugle ! Mon fils, retourne dans la chambre funéraire et restitue le papyrus magique à ceux qui en ont la garde avant qu'il ne soit trop tard !

Mais Khamouas n'écouta pas ce sage conseil. Il s'enferma dans bibliothèque et passa ses jours et ses nuits à déchiffrer les antiques caractères dont le papyrus était couvert.

Sept jours et sept nuits s'écoulèrent avant qu'il ait pu lire la première face du papyrus et il ensorcela les cieux, la terre, les montagnes et le monde d'en bas. Il comprit le langage des oiseaux dans les airs et les paroles des poissons dans les rivières et dans les profondeurs marines.

Deux fois sept jours et deux fois sept nuits s'écoulèrent avant qu'il ait lu la deuxième face du papyrus magique et il vit dans les cieux le périple de Rê le resplendissant dans sa barque d'or et les étoiles et la lune sous leur aspect véritable.

— Je suis le magicien le plus puissant de la terre, se dit Khamouas avec orgueil, et il se rendit devant le palais royal.

Aux alentours du palais, s'avançait un cortège de jeunes filles et de serviteurs. Ils entouraient une jeune dame noble, si belle que Khamouas n'en avait jamais vu de pareille ! Son charme ensorcela le prince et attacha son cœur de liens si puissants qu'il comprit qu'il ne pourrait vivre sans elle.

Il envoya un serviteur s'enquérir auprès des gens de sa suite qui était cette dame si belle et où était sa demeure.

— Seigneur, rapporta le serviteur, cette jeune fille est la fille du grand-prêtre du temple de Rê et elle habite près d'ici, dans un magnifique palais. Si tu le souhaites, tu peux lui rendre visite.

Le prince perdit la tête à cette invitation. Il oublia sa jeune et belle épouse, il oublia le monde entier, il oublia même le livre magique de Rê, et se précipita vers le palais de la fille du grand-prêtre.

Cette splendide demeure l'enchanta et sa beauté le stupéfia. Les sols, les murs et les plafonds de la salle étaient incrustés de malachite, de jaspe et de turquoises véritables. Sur les tables en bois d'ébène, des amphores, des gobelets et des coupes d'or charmaient les yeux par leurs formes pures et les figures qui les décoraient.

Dans la plus claire des pièces, se trouvait un lit tendu d'un tissu royal. Des coupes d'or remplissaient les étagères.

Au centre, sur un siège d'or, se tenait Taboubou, étincelante de joyaux d'or, enveloppée dans un vêtement d'une étoffe fine, brodée de fleurs multicolores.

Elle se leva, jeta un peu d'encens dans une cassolette, versa du vin dans une coupe d'or et dit :

— Bois !

Mais il répondit :

— Je ne puis !

Elle lui offrit des nourritures et des fruits somptueux et lui dit :

— Mange !

Mais il lui répondit :

— Je ne puis ! Je n'ai goût à rien. Ta beauté a tari tous mes besoins ! Sois mon épouse, Taboubou, la supplia-t-il.

Disant ces mots, il la contemplait comme s'il eût voulu la dévorer du regard !

— Je deviendrai ta femme, noble prince, répondit Taboubou, si tu me signes un papier où tu promettras que je serai ta première épouse et que tu m'abandonnes tous tes biens.

— Toutes tes demandes seront satisfaites, répondit Khamouas et il ordonna qu'on fît venir les scribes.

A la minute même où Khamouas venait de signer le manuscrit, on vint dire au prince que son épouse était à la porte du palais, demandant son époux.

— C'est fort bien qu'elle soit venue, dit Taboubou. Ordonne-leur de la tuer et je deviendrai ta femme.

Khamouas s'entendit, comme dans un rêve fou, ordonner à ses serviteurs :

— Tuez mon épouse !

Alors on entendit un grand cri, le monde se mit à tourbillonner autour de Khamouas qui se trouva plongé dans les ténèbres.

Le prince se réveilla, il était couché sur un tas d'ordures au coin de la route qui menait au palais, ses vêtements étaient sales et déchirés ; de la magnifique demeure et de la belle Taboubou, il ne restait aucune trace. Khamouas se souvenait d'avoir fait tuer son épouse et il en était horrifié. Des gens passaient auprès du prince et se moquaient de son état lamentable.

Tout à coup, il vit s'avancer vers lui un cortège de serviteurs portant un trône où se tenait le glorieux pharaon Ramsès le Grand, son père vénéré. Le cortège s'arrêta près de lui et le glorieux pharaon lui demanda :

— Que fais-tu donc ici, mon fils, dans ces vêtements déchirés et gisant sur un tas d'immondices ?

Plein de honte, Khamouas ne put répondre.

— Est-ce ainsi que doit se présenter le fils du plus puissant souverain de la terre entière ?

Le prince dut avouer :

— J'étais insensé et j'ai voulu m'emparer du papyrus des sortilèges de Rê. Mon propre talent de magicien ne me suffisait pas. L'âme du prince Naneferkaptah m'a puni. Et le plus terrible est que j'ai fait tuer mon épouse bien-aimée !

Retourne au palais, mon fils, ordonna le pharaon. Tu y retrouveras ton épouse bien vivante qui attend ton retour avec impatience !

— Mon Signeur ! Que Rê te donne vie éternellement et à jamais ! s'exclama le prince, plein de joie. Tes paroles me rappellent à la vie. Mais comment puis-je retourner au palais couvert de haillons comme je le suis ?

Le pharaon ordonna aux serviteurs de revêtir le prince de vêtements convenables. Quand Khamouas eut repris sa princière apparence, il courut vers le palais.

Son épouse l'y accueillit, bien vivante comme l'avait dit le pharaon.

A peine le prince l'avait-il saluée qu'on l'appela par-devant le puissant souverain des Deux-Royaumes :

— Mon fils Khamouas, tu as succombé à un puissant sortilège, bien plus puissant que ton art magique, déclara le pharaon. Remets immédiatement le papyrus magique à Naneferkaptah, sinon un autre sortilège te fera mourir !

Khamouas obéit. Il prit le papyrus magique et se rendit à la ville des morts. Il ouvrit la tombe de Naneferkaptah et y entra. La lumière le précédait et les ténèbres se refermaient derrière lui. L'âme de Naneferkaptah se tenait sur son siège et auprès de lui les âmes de son épouse Ahoura et de leur fils Merib.

Le prince Khamouas se prosterna devant eux et implora leur pardon.

— Relève-toi, Khamouas, dit au prince l'âme de Naneferkaptah, et remets le papyrus de Rê là où il doit être. Sache que toute chose a sa place assignée. Tu as rendu le papyrus et je te rends ta sérénité. Retourne vers ton épouse, Khamouas, et que la vie te soit heureuse auprès d'elle !

— Pour te remercier de ta générosité, noble Naneferkaptah, je ferai réparer ta tombe et je t'offrirai chaque jour un taureau, une oie et du vin, dit le prince Khamouas, et il retourna au palais auprès de son épouse.

Elle l'accueillit avec des transports de joie et de tendresse. Il promit qu'il ne se consumerait plus à la recherche des écrits magiques et des formules mystérieuses et qu'il ne passerait plus ses jours et ses nuits dans la bibliothèque royale, mais resterait auprès d'elle dans ses appartements du palais.

Ils passèrent ensemble des jours heureux, attendant le moment béni où elle lui donnerait un fils.

VOYAGE AU ROYAUME DES MORTS

La femme de Khamouas, prince sage et instruit, se nommait Ihe-touret et aimait tendrement son mari. Les deux époux vivaient dans la paix et le bonheur à la cour royale ; le puissant pharaon, Ramsès le Grand, père de Khamouas, tous les gens de la cour et tous les princes les honoraient et les tenaient en haute estime. Il ne se passait point de jour que le pharaon n'appelle Khamouas auprès de lui pour lui demander un conseil ou une information.

Les années passaient et l'enfant que les deux époux désiraient tellement ne venait pas. Cela assombrissait leur bonheur leur faisant éprouver chagrin et regret.

Khamouas reprit ses habitudes : il passait beaucoup de temps dans les bibliothèques et les temples à déchiffrer les antiques inscriptions et les vieux papyrus. Rien ne le retenait dans sa demeure : peut-être l'étude des antiques écrits le distrayait-elle de sa mélancolie.

La malheureuse Ihetouret passait son temps solitaire en sa demeure. Un jour, ne pouvant plus endurer ses tourments, elle sortit du palais pour se changer les idées et elle vit non loin d'elle un vieillard gisant sur le sol, à moitié mort de soif et de fatigue. Elle l'aida à se relever, le fit entrer au palais, lui donna à boire et à manger, le fit baigner et lui prépara un lit pour qu'il prenne du repos.

Le vieillard la considéra longuement, plongea son regard dans le sien et lui demanda :

— Noble dame, pourquoi cette tristesse ? Dis-moi ce qui te tourmente : peut-être aurai-je le moyen de t'aider.

— Ton regard est pénétrant, vieillard ! Il est vrai que je suis triste. Je n'ai pas encore donné de fils à mon époux, c'est ce qui me désole, répondit la malheureuse Ihetouret.

— Tu m'as secouru, tu as été bonne avec moi. Je veux te payer de la même monnaie, reprit l'énigmatique vieillard. Puisque tu languis du désir d'avoir un fils, rends-toi au temple de Rê le tout-puissant, fais-lui offrande, invoque-le et confie tes désirs à sa statue de granit. Puis allonge-toi à ses pieds pour y dormir.

Ayant dit ces mots, le vieillard se leva de sa couche, remercia encore grandement Ihetouret de ce qu'elle avait fait pour lui et quitta le palais. Où allait-il ? Personne ne le sut !

Le lendemain à son réveil, Ihetouret se fit apporter deux paniers, les emplit d'oie rôtie, de pain blanc, de gâteaux, de fruits, de lait et de vin. Puis, elle appela deux serviteurs, leur ordonna de prendre les paniers et de l'accompagner au temple de Rê le tout-puissant. Là, elle disposa la nourriture sur la table des offrandes, respira la terre devant la statue et proclama :

— Grand Rê, ô toi le tout-puissant, je te supplie de toute mon âme, accorde-moi un fils ! Sans cela, notre nom périra et nous n'aurons personne pour rester après nous quand nous gagnerons le royaume des morts.

Puis, elle s'étendit à terre au pied de la statue, ferma les paupières et s'endormit.

Cette nuit-là, elle fit un rêve étrange. Le vieillard qu'elle avait vu gisant à la porte du palais lui apparut et lui dit :

— Si tu désires un fils, va demain matin dans ton jardin ; près de l'étang, tu verras une pastèque en fleurs. Cueille les fleurs et les feuilles et prépares-en une boisson. Le soir, prends cette médecine et tu verras que bientôt tu porteras un fils.

L'épouse de Khamouas se hâta d'accomplir ce que le vieillard lui avait conseillé en rêve. Et, en vérité, bientôt, elle mit au monde un fils, un enfant beau et fort.

La nuit même où naquit son fils, Khamouas fit un rêve extraordinaire. Un vieillard inconnu s'approcha de sa couche et lui dit :

— Cette nuit, ta femme te donnera ce fils que tu as si longtemps désiré. Nomme-le Saousir. Sache qu'il accomplira bien des merveilles et qu'il sauvera l'Égypte de grandes catastrophes.

Khamouas s'éveilla de son rêve, se rendit dans la chambre de sa femme et y entendit les pleurs d'un nouveau-né ; son cœur se remplit de joie. Le vieillard avait dit vrai : Ihetouret avait accouché d'un fils. Les heureux époux exaucèrent le souhait du vieillard mystérieux et le nommèrent Saousir.

L'enfant poussa comme un charme ; les parents n'avaient pas vu le temps passer que déjà il fallait l'envoyer à l'école. Il dépassa bientôt en sagesse et en savoir le scribe son maître. Il sut bientôt réciter et employer toutes les formules et incantations magiques et fut expert dans l'art de la magie plus que tous les scribes et tous les magiciens de la cour.

Khamouas aimait à s'entretenir avec son fils. Un jour, tous deux se tenaient sur leur terrasse et ils virent deux cortèges funéraires qui se dirigeaient vers la nécropole de l'ouest.

Le premier venait d'une riche demeure. La momie, le corps du défunt, était enfermée dans un cercueil d'ébène incrusté d'or. Une foule de serviteurs, de parents affligés, d'amis attristés accompagnaient le mort dans son dernier voyage. Tous portaient de précieux cadeaux qu'ils voulaient offrir au riche défunt dans sa tombe. En tête du cortège, les prêtres chantaient les chants funèbres et murmuraient les formules incantatoires.

De la rue opposée, s'approchait le second cortège.

— Vois, mon père, c'est l'enterrement d'un pauvre homme, dit Saousir. Ses deux fils portent un simple coffre de bois. Et seule sa femme suit le défunt, accompagnée de ses deux brus.

— J'aimerais qu'après ma mort, il en soit de moi comme de ce riche personnage pour mon voyage vers le royaume des morts. Le sort de ce pauvre homme sera sans doute bien précaire, dit le prince.

— Moi, père, je te souhaite le destin du pauvre homme, déclara Saousir.

Les paroles de Saousir blessèrent profondément Khamouas :

— Mon fils, tu ne devrais pas me souhaiter cela, s'exclama-t-il.

— Je te montrerai, père, que je te souhaite ce qu'il convient, reprit vivement Saousir. Tu dois me faire confiance. Je sais la parole qui ouvre toutes les portes. Tu verras quel est le destin du pauvre homme qui fut toute sa vie bon et honnête et ce qui attend le riche qui ne songea qu'à profiter des autres.

Saousir conduisit son père dans le temple de Thèbes consacré au puissant Osiris, le dieu du royaume des morts. Dès qu'ils furent entrés, l'enfant décrivit un cercle magique autour de lui, de son père et autour de la statue d'Osiris, ainsi que de l'autel environné des flammes éternelles. Puis, il projeta sur les flammes sacrées de la poudre magique et prononça des incantations mystérieuses. Les flammes montèrent très haut au-dessus de l'autel et un coup violent ébranla tout le temple.

Khamouas, épouvanté, ferma les yeux. Puis il sentit le sol se dérober sous ses pieds et il s'éleva dans les airs. Il ouvrit les yeux et regarda vers le sol. Il poussa un cri de surprise, mais ne produisit

qu'un léger soupir. Là, près de l'autel, gisaient deux corps humains : plus petit était celui de son fils et plus grand le sien. Au-dessus des deux corps, dansaient de courtes flammes bleues. Tout à coup, une petite flamme bleuâtre se mit à parler avec la voix de Saousir :

— Père, je suis ton fils Saousir, j'ai fait sortir nos âmes de nos corps. Ne crains rien : il ne nous arrivera aucun mal.

— Veux-tu dire, mon fils, que nous avons maintenant l'apparence de flammes bleues et que nous ne sommes plus des êtres vivants, mais des âmes libérées ?

— Oui, ô mon père vénéré, nos âmes ont quitté nos corps mortels et se tiennent, sous la forme de flammes bleues, au-dessus de l'autel d'Osiris, répondit Saousir qui murmura ensuite : suis-moi, père !

Les flammes se transformèrent aussitôt en deux grands oiseaux aux ailes d'or et à la face d'homme, qui ressemblaient à Khamouas et Saousir.

— Le temps nous est compté, nous devrons revenir avant que le dieu-Soleil, Rê le tout-puissant, ne reparte pour son périple quotidien dans les cieux matinaux, murmura encore Saousir.

— Je te suis, mon fils, dit Khamouas et, agitant ses ailes d'or, il s'envola à sa suite.

Les murs du temple s'ouvrirent et, par l'orifice, s'envolèrent deux oiseaux qui se dirigeaient vers l'ouest à tire-d'aile.

Les ténèbres se répandaient sur l'Égypte tout entière. Avec le dernier rayon du soleil, les oiseaux d'or dépassèrent les montagnes du désert de l'ouest et arrivèrent dans la première salle du royaume des morts. Sous eux, avançait le groupe des dieux à bord de la barque d'or de Rê et, avec Rê le tout-puissant, voguaient les âmes de tous ceux qui étaient morts ce jour-là.

La barque d'or de Rê le resplendissant devait franchir neuf salles entourées de hauts murs plantés de pointes acérées, de nombreux javelots, avant que l'aube d'un jour nouveau lui fasse reprendre son voyage dans les cieux lumineux. Chacune des portes des neuf salles était gardée par des serpents qui vomissaient le feu et le venin.

Dans la troisième salle où siégeait le tribunal d'Osiris, le puissant souverain du monde d'en bas, la barque de Rê s'arrêta un instant.

Khamouas et Saousir, sous leur apparence d'oiseaux d'or, pénétrèrent aussi dans la troisième salle. Toutes les âmes des morts descendirent et Thot, le puissant dieu de la sagesse, qui porte sur un corps d'homme la tête de l'ibis, oiseau sacré, les conduisit devant le terrible tribunal des quarante-deux dieux et déesses. Sur un trône d'or, sous un magnifique baldaquin, se tenait le puissant Osiris, juge suprême. Coiffé de la haute couronne flamboyante, il serrait dans ses mains un sceptre et un fouet.

— Vois, père, cette grande balance, au centre de la salle, murmura Saousir. Vois Anubis, le dieu grand, au corps d'homme et à la tête de chacal. Son œil perçant surveille les deux plateaux de la balance. Sur l'un des plateaux repose le cœur de l'homme riche et sur l'autre le léger poids de ses mérites. Observe bien les deux plateaux !

Saousir se tut et Khamouas ne quittait pas la balance des yeux.

— Vois-tu, mon père ? reprit bientôt Saousir. Le cœur du riche est bien lourd et fait descendre le plateau. Thot, le dieu de la sagesse, en consigne le poids. Derrière Thot, se prépare un monstre affreux. Sa poitrine et ses pattes de devant sont celles d'un lion, sa tête celle d'un crocodile, sa croupe et ses pattes de derrière celles d'un hippopotame. Cette créature se précipite sur les hommes mauvais qu'elle déchire pour les dévorer.

Khamouas étouffa un cri car, juste à ce moment, le monstre s'était jeté sur le cœur de l'homme riche, y avait planté ses griffes de lion et, en une minute, l'avait mis en pièces et dévoré.

— Regarde, père, dit vivement Saousir. Le dieu Thot dépose sur la balance le cœur de l'homme pauvre. Le plateau ne descend pas, il s'élève. Mais le plateau qui contient ses mérites va vers le bas.

On entendit alors le dieu Thot qui en appelait au dieu Osiris :

— Cet homme n'a jamais commis de fautes. Toujours la vérité est sortie de ses lèvres. Il n'a jamais volé, il n'a jamais fait tort à son prochain. Décide de sa place dans ton royaume.

Osiris, le maître du monde d'en bas, inclina la tête et permit à l'âme du pauvre de pénétrer dans la salle de la paix.

— Viens, mon père, murmura Saousir, rendons-nous aussi dans cet asile. Vois, dès l'entrée, cette table apprêtée pour un festin. Elle ploie sous les viandes rôties, les gâteaux, le pain, les cruches de bière, de vin et de lait. L'âme du défunt va y prendre place et s'y régaler. Dans ce lieu, il jouira en abondance de tous les biens dont se réjouissent les mortels et il connaîtra une joie éternelle.

Saousir resta un moment silencieux et reprit :

— Tu comprends maintenant, ô père vénéré, pourquoi je t'ai souhaité de partager le destin du pauvre homme et non celui du mauvais riche.

Alors les deux oiseaux déployèrent leurs ailes d'or et s'envolèrent vers Thèbes dans la nuit sombre. Ils regagnèrent le temple du grand Osiris et les deux âmes réintégrèrent leur corps mortel.

Au moment où le soleil d'or, Rê le tout-puissant dieu, s'éleva dans les cieux, au-dessus du désert de l'est et enflamma de ses rayons la ville de Thèbes, le prince Khamouas et son fils, le sage Saousir, quittèrent le temple d'Osiris. Ils regagnèrent heureusement leur demeure, et Khamouas médita longtemps sur ce qu'il avait vu cette nuit-là.

LA MISSIVE SCELLÉE

C'était le temps où s'achevait le règne du plus puissant et du plus glorieux des pharaons, Ramsès le Grand. Un jour, le souverain se tenait sur son trône d'or, dans la salle des audiences, entouré des princes, des plus anciens conseillers et des hauts dignitaires. Tout à coup, le grand vizir entra, se jeta aux pieds de son maître, frappant humblement la poussière de son front et s'exclama, extrêmement troublé :

— Seigneur, longue vie à toi ! Bonheur et santé éternellement et à jamais ! Un Nubien, homme grand et brutal, vient d'arriver à ta cour et il demande à te parler. Il dit qu'il vient afin de prouver que les charmes et sortilèges de Nubie sont plus puissants que les charmes et sortilèges d'Égypte !

— Qu'on le fasse entrer ! ordonna le pharaon.

On vit entrer dans la salle un Nubien gigantesque, il s'inclina jusqu'à terre, se jeta à genoux et déclara :

— Roi de l'Égypte ! Je t'apporte une missive scellée. Je prétends qu'aucun de tes prêtres ou de tes scribes, voire de tes magiciens, ne sera capable de la lire sans en rompre les cachets de cire. Et si vraiment personne ici ne réussit à la déchiffrer, je retournerai en Nubie et je proclamerai devant mon roi et devant tout le peuple que l'art de la magie en Égypte est misérable et impuissant, et la terre entière se moquera de vous.

Le pharaon était plein de colère contre l'insolence de ce Nubien. Il n'en laissa pourtant rien paraître. Il ordonna seulement qu'on fît venir tout de suite son fils, le sage magicien Khamouas.

— Puissant Pharaon, ô mon père, dit le prince, ordonne qu'on offre à ce barbare de prendre du repos. Qu'on lui donne à boire et à manger et qu'on l'installe dans la chambre réservée aux hôtes royaux. Demain, nous rassemblerons la cour et j'amènerai un magicien qui démontrera que nous possédons l'art de la magie plus et mieux que quiconque vit au-delà des frontières de notre pays.

— Il en sera fait comme tu le demandes, déclara le pharaon.

Khamouas était l'un des hommes les plus sages de l'Égypte et, versé en magie comme peu de personnes dans le monde, il était pourtant fort embarrassé. Lire un seul mot d'un rouleau de papyrus scellé sans rompre le cachet et sans dérouler la feuille était pour lui chose impossible malgré tout son art et toutes ses connaissances.

Quand il revint en son palais, il était pâle et tremblait de tout son corps. Son épouse s'alarma, le croyant atteint d'une grave maladie :

— Que t'arrive-t-il, ô mon époux ? demanda-t-elle avec angoisse. Une pernicieuse maladie t'a-t-elle donc frappé ?

Khamouas lui fit part de son ennui et elle éclata en sanglots, désespérée.

Saousir, leur fils âgé de douze ans, qui se tenait dans la chambre voisine, avait entendu la conversation. Il entra, alla gaiement vers ses parents et, plein d'audace, déclara :

— Chassez toute crainte ! Je lirai cette missive cachetée !

— Je sais, mon fils, que tu connais bien des sortilèges, dit Khamouas. Mais puis-je être sûr que, lorsque nous serons devant le pharaon, tu pourras réellement lire ce qui est écrit sur un papyrus scellé ?

— Père, va dans la chambre où tu gardes tes papyrus, choisis l'un d'eux que tu cachèteras et je le lirai du premier mot au dernier, sans même y porter un doigt.

Et Khamouas apporta un papyrus enroulé et scellé d'un cachet de cire et l'enfant lut tout ce qui y était écrit.

Le lendemain, le pharaon convoqua toute sa cour et ordonna au grand vizir de faire venir le Nubien. Le gigantesque magicien entra fièrement dans la salle, il ne se donna même pas la peine de faire les prosternations devant le plus puissant des pharaons ; il agitait son rouleau de papyrus et criait :

— Roi de l'Égypte, si tes magiciens ne lisent pas ce qui est écrit dans cette missive scellée, tu devras reconnaître que la magie de Nubie est plus puissante que la magie d'Égypte et ton pays sera la risée de toutes les nations de la terre entière !

— Khamouas, mon fils, tu es l'un des plus grands magiciens d'Égypte ! Réponds, je te prie, à ce barbare impudent !

— Puissant Pharaon, répondit Khamouas, ce chien qui n'est même pas capable de rendre hommage comme il se doit au plus glorieux des souverains de l'Égypte ne mérite pas qu'un magicien puissant et reconnu se mesure avec lui. Cette tâche revient à Saousir, mon fils et ton petit-fils, ô mon père. Il n'a que douze ans, mais il est suffisamment versé dans les secrets de la magie pour lire aisément le papyrus de ce barbare insensé.

On entendit dans la salle un murmure confus de voix et même quelques rires lorsque s'avança le jeune garçon qui se présenta devant le trône, à côté de l'immense Nubien agitant, l'air furieux, son papyrus scellé:

— Pharaon, ô mon aïeul vénéré ! déclara d'une voix claire et ferme le jeune Saousir. Ce papyrus que tient en mains ce misérable magicien conte une histoire qui entache l'honneur d'un de nos ancêtres. Il outrage un pharaon qui, il y a bien des années, siégeait à la place que tu occupes maintenant, et qui, comme toi, portait le fouet et le sceptre, emblèmes du pouvoir royal. Il était aussi coiffé, comme toi, de la double couronne.

L'enfant se tut un moment et reprit :

— Il parle aussi d'un roi qui, dans les temps reculés, régnait sur la Nubie. Un jour, ce souverain se reposait dans son palais sur les rives du Nil, bien loin d'ici. Derrière lui, entre les colonnes, les plus puissants magiciens de Nubie devisaient dans l'ombre fraîche. Le roi les écoutait attentivement.

Un des magiciens dit :

« Nos armes et nos guerriers ne viendront jamais à bout de l'Égypte. Mais nous pouvons défaire et mettre à genoux le pharaon et ses gens par de puissants sortilèges. Moi-même, je puis ensevelir toute l'Égypte dans de profondes ténèbres pendant trois jours. »

« Ce n'est rien, reprit le second magicien. Moi, je peux couvrir l'Égypte d'une pourriture humide qui détruira ses moissons de toute une année. »

Et ils continuèrent ainsi, énumérant tous les malheurs et toutes les catastrophes dont ils pourraient frapper l'Égypte jusqu'à ce que prenne la parole le grand magicien, un scribe très savant, qui dit :

« Je pourrais transporter ici, par mon pouvoir magique, ce chien de pharaon qui prétend être notre maître et lui faire donner les verges devant tout le peuple assemblé. Cela serait un jeu pour moi. Ensuite, je le transporterais à nouveau en Égypte et tout cela en quelques heures seulement. »

Dès qu'il eut entendu ces mots, le roi de Nubie appela les magiciens auprès de lui et déclara :

« Hor, mon grand magicien, fils d'une femme noire ! J'ai entendu ton discours. Si vraiment tu réussis à faire subir au pharaon le traitement que tu as dit, tu recevras une récompense dont jamais, jusqu'à ce jour, je n'ai gratifié personne. Et tu sais que je puis me montrer généreux ! »

Hor se prosterna respectueusement et se mit aussitôt à son ouvrage magique. Il ensorcela un palanquin et confectionna quatre statuettes de cire. Il prononça quelques formules et les statuettes prirent la taille d'un homme. Il prononça encore une incantation magique et leur insuffla la vie. Il leur ordonna alors de se rendre immédiatement en Égypte et d'en ramener le pharaon.

Saousir se tut un moment, regarda le Nubien et lui demanda :

— Ce que je viens de lire est-il réellement écrit sur ton papyrus ? Dis la vérité, sinon Rê le tout-puissant te consumera d'un grand feu et, à la place où tu te tiens, il ne restera de toi qu'un petit tas de cendres.

Le gigantesque magicien nubien s'inclina profondément devant le jeune garçon et lui répondit :

— Je n'en crois pas mes oreilles, ô maître ! C'est en vérité ce qui est écrit !

L'enfant sourit et continua à lire le papyrus scellé :

— Et tout se passa comme Hor s'y était engagé. Les quatre porteurs à qui il avait donné vie enlevèrent de sa couche le pharaon endormi et l'apportèrent dans la cour du palais royal de Nubie. On rassembla le peuple dans le vaste espace ouvert devant le palais. Le roi de Nubie ordonna à ses bourreaux de fouetter cruellement le pharaon. Puis les quatre hommes de cire remportèrent l'infortuné souverain d'Égypte, tout moulu et souffrant, dans son palais et le déposèrent sur sa couche. Tout cela n'avait duré que quelques heures comme l'avait promis le magicien nubien.

Quand le pharaon se réveilla, au petit matin, il ressentit des douleurs insupportables. Il vit les traînées sanglantes de son dos, et comprit qu'il n'avait pas fait un vain songe.

Il fit appeler tous ses familiers, ses magiciens, ses savants, ses sages, les scribes de la cour et leur expliqua comment le roi de Nubie l'avait trompé et offensé.

« Je vous ordonne de me venger et de protéger le pays d'Égypte contre ces barbares et leurs honteux sortilèges ! déclara le pharaon. Et cela ne suffit pas ! Je veux me venger du roi de Nubie et de son magicien qui a manigancé toute l'affaire. »

Alors s'avança le premier scribe et grand magicien de la cour, il se prosterna devant le pharaon et lui dit :

« Pharaon, ô maître de la terre entière, nous ne pouvons laisser impuni l'outrage que les fils de la Nubie ont infligé à ta grandeur. Je pense que je connais le sortilège qui te protégera et te vengera. »

Ce fut en vain que, cette nuit-là, les serviteurs magiques du magicien nubien tentèrent de s'introduire dans la chambre du pharaon. Elle semblait entourée d'un mur invisible et infranchissable. Pendant cinq heures, il s'efforcèrent des poings, des pieds, de tout le corps contre quelque chose de transparent mais d'une solidité à toute épreuve et leurs coups rebondissaient contre cet obstacle invisible comme des balles que l'on aurait lancées contre un mur. Puis, quelque chose, dans l'antichambre royale, fit entendre un sifflement strident et les porteurs magiques disparurent à jamais. On ne retrouva le matin que trois boulettes de cire durcie.

Le magicien était satisfait. Il avait réussi à protéger le pharaon. Restait à le venger. Sans tarder, il ensorcela un palanquin et quatre porteurs et les envoya vers le roi de Nubie.

Les Égyptiens se rassemblèrent en foule devant le temple de Rê et y assistèrent à un spectacle dont on se souvint longtemps en Égypte. Quatre étranges porteurs amenèrent sur un palanquin le roi de Nubie, le mirent à nu et lui administrèrent le fouet jusqu'à ce qu'il ne puisse plus faire un mouvement. Puis, ils le rechargèrent sur le palanquin et le remportèrent.

Au matin, le roi de Nubie, se réveilla tout moulu et souffrant. Il fit aussitôt appeler Hor, son magicien, et lui ordonna de le protéger contre les magiciens égyptiens et de venger sa honte et ses douleurs.

Mais le magicien nubien se trouva désarmé. Il essaya tout ses pratiques magiques, mais elles échouèrent contre le pouvoir supérieur du maître égyptien.

Trois fois, les serviteurs magiques portèrent le roi de Nubie devant le temple de Rê et trois fois ils le fouettèrent jusqu'au sang. Le malheureux souverain était si mal en point qu'il sentit qu'il ne résisterait pas à une quatrième bastonnade. Il fit appeler Hor et lui dit :

« Malheur à toi, misérable ! Incapable ! Ennemi de la Nubie ! Tu n'as pas su me défendre contre les sortilèges des Égyptiens, mais sache que, si je suis enlevé encore une fois, je te ferai subir de longues et affreuses tortures et que tu périras d'une mort infamante ! »

Le magicien nubien répondit respectueusement :

« Glorieux Roi, ô mon maître ! Permets que je me rende en Égypte et que je rencontre le magicien égyptien qui a réduit à rien le plus puissant de mes sortilèges. Je me mesurai à lui, nous combattrons l'un l'autre avec nos pouvoirs magiques, je le vaincrai et je le punirai cruellement des souffrances qu'il t'a causées. »

« Mais, si tu échoues, ne reparais pas en Nubie ! Et sache que toute ta descendance sera maudite éternellement et à jamais ! Telle est ma volonté », ajouta le roi et il permit à Hor de s'en aller.

Le magicien nubien se rendit auprès de sa mère et lui rapporta ce qui s'était passé, ajoutant :

« Je pars pour l'Égypte et j'engagerai un terrible combat contre le magicien mon adversaire. »

« Sois prudent, mon fils ! Crains les magiciens d'Égypte ! Leurs pouvoirs magiques sont supérieurs aux nôtres. Je redoute qu'ils ne te surpassent et que tu ne reviennes jamais en Nubie », dit la mère, mettant son fils en garde.

« C'est en vain que tu essaies de me dissuader, mère. Il faut que j'aille en Égypte. Je ne peux pas faire autrement », lui répondit le magicien.

« Je me rends compte, mon fils, que je ne puis te faire renoncer à ce dangereux voyage. Mais convenons entre nous d'un signe qui me prévienne qu'ils te capturent. J'accourrai alors à ton aide et j'essaierai de te tirer d'affaire », demanda la femme noire à son fils.

« Si l'eau que tu t'apprêtes à boire se change en sang, si la nourriture que tu t'apprêtes à goûter prend la couleur du sang, si les cieux au-dessus de ta tête présentent des traînées sanglantes, tu sauras que j'ai été vaincu et que les magiciens égyptiens me tiennent en leur pouvoir », dit Hor, le magicien, à sa mère.

Puis il leva les bras, prononça une mystérieuse incantation et, immédiatement, s'éleva dans les airs, se dirigeant vers la royale capitale de l'Égypte. Il reprit contact avec le sol devant le palais royal et se dirigea vers le péristyle où justement étaient rassemblés, autour du trône du pharaon, tous ses savants, ses sages, ses dignitaires, les princes, les scribes, les conseillers et les plus puissants magiciens qui tenaient conseil avec leur souverain au sujet d'une question de la plus haute importance. Le magicien nubien s'arrêta au centre de la cour et proclama d'une voix retentissante :

« Qui est l'audacieux magicien qui a osé par ses incantations contrecarrer ma magie ? Qu'il se présente, et se mesure à moi dans un combat sans merci ! Il verra qui dispose des charmes et des enchantements les plus puissants ! »

Alors, s'avança des rangs des familiers et des conseillers du pharaon le grand magicien d'Égypte et il s'exclama d'une voix qui grondait comme le tonnerre :

« Malheur à toi, misérable Nubien ! Tu es sans doute Hor, fils d'une femme noire, cet enchanteur nubien plein d'insolence et de présomption. Comment as-tu osé ternir et offenser l'honneur et la gloire de notre puissant pharaon ? Oui, c'est moi qui me suis opposé à tes misérables sortilèges et qui en ai détruit les effets. Tu es venu de toi-même recevoir le châtiment que tu as mérité. Tu peux déployer tous tes pouvoirs, je t'écraserai quand même ! »

« Ainsi, tu exerces tes sortilèges contre moi ! » s'exclama le magicien de Nubie. « Pour cela, tu aboieras comme un chacal ! »

Il murmura rapidement des paroles indistinctes. Alors s'élevèrent des flammes gigantesques qui gagnèrent le centre de la cour et s'approchèrent inexorablement du trône royal. Les courtisans égyptiens, les savants, les princes et le pharaon lui-même étaient terrifiés. Aucun mot ne sortit de leurs lèvres. Blêmes et figés par la peur, ils attendaient l'approche de la mort !

Mais le maître des sortilèges du pays d'Égypte prononça une formule magique. Aussitôt, les cieux déversèrent une pluie violente qui éteignit les langues de feu menaçantes.

Le Nubien murmura encore quelque chose et une voûte de pierre s'éleva au-dessus du pharaon qu'elle isola avec toute sa cour du reste de l'Égypte.

Mais le magicien égyptien prononça encore une de ses incantations et fit naître un vaisseau de papyrus qui enleva la voûte de pierre et alla la noyer dans les flots profonds de la mer.

Le Nubien, cependant, refusait de se rendre. Il prononça une toute-puissante formule et des nuages noirs recouvrirent tout l'espace céleste. D'un coup, la cour fut plongée dans des ténèbres épouvantables. Elles étaient si profondes que nul ne voyait plus son voisin et toutes les personnes présentes, le pharaon lui-même, furent envahies d'une terreur mystérieuse. Tout à coup, dans le profond silence s'élevèrent de terribles rugissements comme si quelqu'un eut lâché dans la cour toute une meute de lions affamés.

Mais le magicien égyptien cria d'une voix qui retentissait comme dix tonnerres et les rugissements se turent. Puis, il prononça la plus puissante des incantations, un vent furieux se leva qui chassa à l'instant les sombres nuées. Le soleil retrouva son éclat. Le pharaon et son entourage recouvrèrent leurs esprits.

Le magicien nubien se rendit compte qu'il ne pouvait se mesurer à l'Égyptien et qu'il valait mieux qu'il abandonne la partie et qu'il prenne la fuite. Il murmura une rapide formule et se rendit invisible.

Le maître des sortilèges du pays d'Égypte lança une formidable incantation. Le pharaon et ses fidèles aperçurent le Nubien qui avait pris l'apparence d'un oiseau de proie et déployait ses ailes pour s'échapper. Mais un gigantesque filet se tendit au-dessus de la cour ; l'oiseau de proie s'y prit et perdit du même coup ses pouvoirs magiques. En vain, l'oiseau se débattait contre le filet. Il était captif et vaincu.

Au même instant, dans la lointaine Nubie, la mère du magicien nubien eut soif et prit de l'eau dans sa cruche. Mais, quand elle approcha sa coupe de ses lèvres, elle vit qu'elle ne contenait pas d'eau mais du sang. Pleine d'un affreux pressentiment, elle leva ses regards vers les cieux, mais ils avaient pris des tons d'un rouge sombre. Elle comprit que son fils était en danger et qu'il lui envoyait un signe pour qu'elle vînt à son secours. Elle prononça des paroles magiques et se changea immédiatement en oie sauvage. Elle traversa d'un trait la Nubie et l'Égypte et, survolant la cour du palais royal, elle caqueta pour se faire entendre de son fils.

Le magicien d'Égypte leva les yeux vers le ciel, y vit l'oie caquetante et reconnut la mère de son ennemi. Il tendit un filet où l'oie se prit aussi : elle perdit son pouvoir magique et tomba dans la cour.

Le magicien d'Égypte prononça au-dessus des deux oiseaux de mystérieuses paroles. Ils reprirent à l'instant leur apparence humaine et supplièrent qu'on leur fît grâce de la vie.

« Que dois-je faire d'eux, ô puissant pharaon, mon maître ? » demanda le magicien égyptien.

« Enlève-leur tout pouvoir et rends-leur la liberté, à la condition qu'ils s'engagent à ne jamais remettre les pieds en Égypte et à ne jamais s'attaquer à notre peuple », répondit le souverain.

Mère et fils jurèrent d'obéir aux ordres du pharaon.

Alors, le grand magicien fit apparaître un vaisseau magique qui emporta le magicien de Nubie et sa mère dans les airs pour les déposer au bout du monde.

Le pharaon ordonna aux scribes de la cour de consigner tout ce qui s'était passé dans la cour du palais et envoya le papyrus par ses meilleurs coureurs au roi de Nubie.

Il ne restait plus au souverain de Nubie qu'à reconnaître la grandeur du pharaon d'Égypte et à lui jurer fidélité et obéissance.

Puis le roi nubien maudit pour des siècles Hor et toute sa descendance. Il ordonna à ses scribes d'en consigner la décision et de l'envoyer au bout du monde :

« ... et tu demeuras toi, tes fils, tes petits-fils et tous tes descendants au bout du monde, jusqu'à ce que toi-même ou quelqu'un de ton sang preniez votre revanche sur les magiciens d'Égypte et prouviez que la magie de Nubie est plus puissante que celle de l'Égypte. Ainsi en a décidé le souverain de Nubie ... »

Saousir, l'enfant magicien se tut un moment, puis il montra le papyrus scellé et dit au Nubien :

— Les mots que je viens de lire sont-ils bien ceux qui sont écrits sur ton rouleau de papyrus ? Dis la vérité sinon le feu de Rê te dévorera et il ne restera de toi qu'un tas de cendres !

Le gigantesque Nubien tomba sur les genoux et s'écria :

— Tes paroles sont les paroles du papyrus, puissant magicien !

— Rompez les cachets de la missive et faites-en la lecture ! ordonna le pharaon.

Quand on eut achevé la lecture de la missive, tous les courtisans s'émerveillèrent des connaissances en magie de Saousir, car l'enfant avait déchiffré très exactement le texte de la missive scellée et affirmé la gloire et la grandeur de son pays.

Le Nubien désarmé pria respectueusement :

— Glorieux pharaon, maître de la terre entière, puis-je partir en paix ?

Mais Saousir s'écria vivement :

— Pharaon, longue vie à toi, sois heureux et prospère éternellement et à jamais ! Sache que cet homme qui s'agenouille devant toi est le descendant de Hor, le magicien de Nubie !

— Oui, descendant de Hor, tu peux partir, je te fais don de la liberté ! proclama le pharaon. Et, aujourd'hui-même, écris pour ton roi sur un papyrus que je prescris de lever l'antique malédiction qui frappa ton ancêtre. Que ta race ne reparaisse plus en Égypte, n'offense et n'outrage plus jamais dans l'avenir les pharaons mes descendants.

Puis, le glorieux pharaon Ramsès le Grand proclama encore :

— Que la paix et l'amitié règnent désormais entre l'Égypte et la Nubie ! Telle est ma volonté !

LE SIXIÈME JOUR

Le Dieu-Soleil, Rê l'étincelant guidait dans les cieux sa barque d'or et ses rayons pénétrants frappaient la terre qu'ils teintaient de lueurs rouges. Déjà un nouveau jour avait commencé, la nef royale se balançait sur les flots, sous les voiles de pourpre et sous le tendelet d'or, Cléopâtre, la reine vénérée, et son fils, le noble prince, devisaient en compagnie du scribe royal.

— Connais-tu, ô digne scribe, une histoire où intervienne un aigle ? demanda le prince Césarion.

— Excuse mon fils, dit la reine, il est encore jeune et parfois le prennent de naïves idées enfantines.

— Sans doute, mon fils, reprit-elle en s'adressant au prince, admires-tu cet aigle gigantesque qui tournoie au-dessus des rochers et qui cherche, de son œil perçant, une proie !

— Et sais-tu, noble prince ce que je puis te conter ? Aujourd'hui, je vous parlerai des derniers pharaons de l'ancien empire. Des aigles sauvages aidèrent l'un d'entre eux à déjouer de dangereuses manigances et sauvèrent ainsi l'honneur de ce souverain ; un grand aigle trouva une épouse pour un autre pharaon et un troisième souverain fut sauvé par de simples petites souris, dit le scribe savant.

LE VIZIR RESSUSCITÉ

Ce n'est que dans les vieux papyrus jaunis des pays étrangers que l'on trouve des renseignements sur le règne du pharaon Chabaka. Alors, loin vers l'est, notre patrie avait un rival qui voulait lui disputer le pouvoir suprême et la domination du monde. C'était le royaume d'Assyrie où régnait un roi puissant et célèbre, le grand Sennachérib.

Le pharaon supportait mal un aussi puissant voisin et se concertait constamment avec ses conseillers et ses savants pour trouver le moyen d'affaiblir le royaume d'Assyrie. Mais Sennachérib avait un conseiller, serviteur fidèle, le sage et savant vizir Akhikar qui réussissait toujours à déjouer les combinaisons du pharaon.

Le pharaon se rendait bien compte que, tant que ce savant philosophe serait en vie, il ne pourrait rien entreprendre contre le royaume d'Assyrie et son souverain. Mais Akhikar était bien vieux. Il ne tarderait pas à mourir et Sennachérib ne retrouverait jamais un conseiller aussi subtil : c'était le seul espoir du pharaon.

Le vizir Akhikar était l'homme le plus riche d'Assyrie, car le roi avait toujours très généreusement récompensé ses inappréciables services. Il possédait un magnifique palais, des domaines étendus et fertiles, des coffres débordant d'or et de pierreries. Mais il était fort en souci de n'avoir pas de fils, un enfant qui eût été le réconfort de sa vieillesse et à qui il aurait pu transmettre, en même temps que ses grandes richesses, sa précieuse expérience et sa sagesse.

Il résolut d'aller trouver sa sœur et de la prier de lui confier son fils Nadin.

Il alla donc rendre visite à sa sœur et à l'époux de celle-ci pour leur confier son chagrin et son espoir déçu. Puis il attendit, plein d'inquiétude, leur décision.

— Mon cher frère, prends notre fils, dit enfin la sœur. Je sais que tu en prendras soin mieux encore que mon mari et moi-même. Permets seulement que je vienne quelquefois réjouir mes yeux à la vue de mon enfant.

Le vizir Akhikar lui promit qu'il accéderait à toutes ses demandes avec joie et partit, l'enfant dans les bras.

C'était encore un tout petit garçon qui ne savait pas parler et qui requérait des soins et une surveillance constante. Akhikar engagea huit nourrices qu'il logea auprès de lui au palais et à qui il confia l'enfant. Il les payait en pièces d'or, les vêtit de soie, les nourrit des mets les plus fins, les entoura d'une foule de servantes et de domestiques auxquels il enjoignit de satisfaire à tous leurs vœux et à tous leurs caprices.

— Qu'elles dispensent à mon cher enfant le lait le plus savoureux, le plus riche et le plus sain, qu'elles le soignent et s'en occupent avec zèle afin qu'il devienne un adolescent robuste et en bonne santé, déclara le vieux vizir.

Quand l'enfant eut un peu grandi, son oncle Akhikar lui apprit à lire et à écrire et à réfléchir sur toute chose. Il lui fit connaître toutes les sciences du monde. L'enfant avait un esprit ouvert et vif et apprenait facilement tout ce qu'Akhikar lui enseignait.

A cette époque, le vizir était déjà très avancé en âge. Sa barbe et ses cheveux étaient plus blancs que neige, ses forces déclinaient, il il avait perdu de sa haute taille et se tenait courbé vers la terre.

Et le roi Sennachérib dit à son conseiller fidèle :

— Digne vizir, mon précieux ami ! Je te souhaite longue et heureuse vie. La mort, toutefois, n'épargne aucune créature vivante ; contre elle, il n'y a pas de défense, pas de moyen d'échapper ! Tu es bien vieux déjà. Pendant des années, tu as parcouru cette terre et tu mérites bien le repos que je voudrais t'accorder. Tu as été un vizir subtil, le meilleur conseiller et le serviteur le plus dévoué de mon royaume. Tu as bien des fois déjoué les plans funestes du pharaon d'Égypte et sauvegardé notre patrie et mon honneur. Rends-moi encore un service, mon digne ami : dis-moi qui je dois choisir pour te remplacer. Dis-moi qui peut être mon vizir, mon conseiller, mon ami, en même temps que mon défenseur contre le puissant empire égyptien ! Je suis persuadé que l'homme que tu me recommanderas ne me trahira jamais, ne me trompera pas, ne me décevra pas.

— Noble Roi, répondit Akhikar, je te recommande Nadin, le fils de ma sœur. Je l'ai pris auprès de moi il y a bien des années, je l'ai élevé comme mon propre fils et je lui ai transmis tout mon savoir.

— Amène-le moi ! ordonna le roi. Si, réellement, il te ressemble, j'en ferai mon vizir et mon conseiller. Quant à toi, je t'accorderai le repos qu'après de si longs et si précieux services auprès de mon père et auprès de moi tu as bien mérité.

Akhikar amena Nadin devant le roi d'Assyrie. Nadin se prosterna avec un respect extrême devant son souverain et le salua avec les paroles les plus choisies et les plus louangeuses. Le roi s'entretint avec lui et constata avec grand plaisir que le fils du vizir était vraiment un homme intelligent et avisé et qu'Akhikar n'avait pas fait de lui un éloge exagéré.

— Que le grand dieu Assour veille sur ton fils, mon précieux ami, et qu'il lui donne autant de force, de sagacité et de persévérance qu'il t'en a accordé à toi-même ! Que Nadin me serve avec autant de fidélité et de compétence que tu l'as fait ! Sache que, dès maintenant, Nadin peut te remplacer dans tes fonctions. Il pourra compter sur ma reconnaissance.

Le sage Akhikar répondit :

— J'espère que mon seigneur et roi voudra bien pardonner à Nadin, s'il commet, au début, de légères erreurs. Il n'a pas encore acquis toute l'expérience nécessaire.

— Je me conduirai envers lui avec toute l'indulgence d'un ami véritable, comme s'il était mon jeune frère par le sang, répondit le souverain.

Akhikar remercia grandement son roi, introduisit Nadin dans le palais, lui montra toutes ses richesses et lui dit qu'il pouvait en user pour son compte personnel.

— Je serai heureux que tu vives ici avec moi. Tous mes serviteurs seront à ton service, ajouta le sage Akhikar.

A partir de ce jour, l'ancien vizir passa la plus grande partie de son temps dans ses appartements, délivré de tout souci. Autant, auparavant, il travaillait avec acharnement, autant, à présent, il s'appliquait à se reposer. Seulement, de temps en temps, il rendait visite à son roi et ils se remémoraient tout ce qu'ils avaient fait ensemble.

Nadin, se retrouvant grand et puissant vizir, la gloire et le pouvoir lui tournèrent la tête. Il oublia les conseils de son oncle Akhikar et se conduisit comme un paon prétentieux. Il ne consentait à parler qu'avec le roi et il dilapidait les richesses de son bienfaiteur comme si elles lui eussent appartenu. Il oublia tous les bons traitements que le vieux vizir avait eus pour lui et, au conseil et devant le roi, ne faisait que le dénigrer. Il enviait à l'ancien vizir, son oncle, sa gloire passée et sa renommée.

La conduite de Nadin chagrinait et inquiétait Akhikar qui se dit :

— Quel dommage que je ne me sois pas rendu compte plus tôt de sa mauvaise nature !

Et Akhikar alla trouver le roi et se plaignit à lui. Le souverain fit appeler Nadin et lui dit :

— Ton oncle Akhikar n'est pas encore mort. Ne prends pas ses biens et quitte sa maison.

— J'ai entendu et j'obéirai, répondit Nadin en s'inclinant bien bas.

Nadin fut bien obligé de quitter la demeure de son oncle et d'y abandonner toutes les richesses. Il en conçut pour Akhikar une haine terrible et résolut de détruire son bienfaiteur. Mais, pour cela, il fallait prévenir contre lui le roi qui était le plus ferme soutien et le fidèle protecteur du vieillard.

Nadin connaissait bien l'écriture de son oncle Akhikar, qu'il imitait parfaitement, bien que personne ne le sût. Et le meilleur des calligraphes n'aurait pu voir la différence.

Nadin se mit à l'œuvre sans hésiter et sans attendre. Il imita l'écriture d'Akhikar dans une missive qu'il adressa au pharaon d'Égypte.

La lettre disait :

« De Sennachérib, puissant roi d'Assyrie et de son vizir Akhikar, gardien des secrets d'État, au glorieux pharaon Chabaka, souverain de la Haute-Égypte et de la Basse-Égypte.

Je suis avancé en âge et je n'ai pas de fils pour me succéder sur le trône d'Assyrie quand mon âme s'en ira vers le Royaume de l'ouest. Je me suis demandé quel était, parmi les souverains étrangers, celui à qui je pourrais confier mon royaume d'Assyrie et je n'en ai pas trouvé de meilleur que toi, ô glorieux pharaon. Quand tu auras pris connaissance de cet écrit, hâte-toi et viens dans notre pays ! Je te ferai don de mon royaume afin que tu le réunisses à ton puissant empire. »

Nadin déroba le cachet de son oncle et en scella cette missive qu'il garda deux jours par-devers lui. Parmi les serviteurs, il porta son choix sur un misérable à qui il donna de l'argent, et lui ordonna :

— Quand on t'amènera devant le roi et qu'il te parlera de la lettre qu'Akhikar destinait au pharaon, tu répondras : « Mon maître, le vizir Akhikar, m'a donné cette lettre pour que je la porte en secret au pharaon d'Égypte, puis que je revienne le plus vite possible pour lui apporter la réponse. »

Nadin laissa passer deux jours, puis se présenta devant le roi Sennachérib et lui tendit la lettre cachetée, en disant :

— Grand Roi, ô mon maître ! Ma fidélité et mon dévouement me font un devoir de te tenir au courant des affaires importantes, mais aussi des plus petites choses. J'ai trouvé cette lettre sur un des serviteurs d'Akhikar. Il s'apprêtait à la porter en secret au pharaon Chabaka, le souverain d'Égypte. Je ne sais ce qu'elle contient. Décachète-la et lis-la afin de savoir ce qui y est écrit. J'espère que cette lettre a été écrite dans de bonnes intentions, pour le bien de notre pays et pour ton bien, ô mon Roi !

Le roi ouvrit la lettre et la lut à haute voix devant le vizir Nadin. Un intense étonnement se peignit sur le visage des deux hommes. Dans la pièce, s'installa un profond et long silence.

Le vizir Nadin, reprit la parole le premier :

— Seigneur, fais comparaître ce serviteur et interroge-le au sujet de cette missive. Peut-être est-il au courant de bien des choses d'importance et nous les révélera-t-il !

Le roi fit venir immédiatement le serviteur d'Akhikar et, dès qu'il apparut, l'interrogea :

— Que sais-tu au sujet de cette lettre que mon vizir Nadin a trouvée sur toi alors que tu t'apprêtais à te rendre secrètement en Égypte ?

— Je ne sais rien, répondit le serviteur, sinon que le vizir Nadin m'a surpris alors que je me mettais en route, il m'a fouillé et a pris la lettre. Il m'a questionné et je n'ai pu que lui dire la vérité. Le vizir Nadin a gardé la lettre et m'a laissé aller. Je ne suis qu'un domestique et j'exécutais les ordres de mon maître. Je ne sais rien de plus de cette affaire.

Sur ce, le roi déclara :

— Le vizir Nadin avait raison. Je ne te punirai pas. Tu n'as rien à craindre. Tu es libre, va ton chemin !

Puis, le roi convoqua son conseil et lut à ses conseillers la lettre d'Akhikar et leur rapporta les aveux du serviteur.

Tous les conseillers furent pris d'un profond désarroi et d'une véritable horreur. Ils ne pouvaient en croire leurs oreilles. Quand ils furent un peu remis de leur stupéfaction, ils prièrent le roi de faire venir Akhikar afin qu'il pût se disculper et défendre son honneur. Peut-être ne savait-il rien de cette lettre, peut-être était-il victime d'une effroyable erreur ou peut-être même d'une machination dirigée contre lui, déclarèrent les conseillers.

Akhikar se présenta devant son roi et devant le conseil assemblé. Il était loin de soupçonner pourquoi on le faisait appeler. Quand il se fut incliné, le roi lui tendit la lettre. Le vieux vizir, à son grand étonnement, reconnut son cachet et son écriture. A peine avait-il lu que tout s'assombrit devant ses yeux, tout se mit à tourner et il fut incapable d'articuler une seule parole. Son silence se prolongeait, se prolongeait ... il ne pouvait rassembler ses idées, il ne trouvait rien à dire pour se disculper !

Le long silence d'Akhikar renforça dans l'esprit du roi et de ses conseillers la conviction que le vieux vizir avait ourdi un complot avec le pharaon d'Égypte contre son propre pays.

Le roi, plein de courroux, fit venir le grand bourreau, lui ordonna de mettre immédiatement à mort Akhikar et d'exécuter le coupable devant sa propre demeure. Il ne lui vint pas à l'idée de demander au malheureux vieillard, son ancien vizir, les raisons de son silence et d'ordonner une enquête sérieuse sur cette honteuse affaire. Il était tellement hors de lui qu'il ne considérait plus rien.

Akhikar surmonta quand même sa défaillance, et il put enfin songer à défendre sa vie quand ses idées se remirent en place dans son cerveau. Au lieu de plaider sa cause, il dit simplement :

— Qu'il en soit fait selon ta volonté, ô mon roi ! Je te demande seulement de permettre aux miens d'enterrer mon cadavre après ma mort !

— Je te l'accorde, répondit le roi d'Assyrie.

Et le bourreau s'empara d'Akhikar et, avec ses aides, emmena le condamné devant son palais pour procéder à l'exécution.

Akhikar enjoignit à son épouse et à ses servantes de revêtir les noirs vêtements de la douleur, puis de préparer pour le bourreau et ses aides une table couverte de mets délicieux et de bons vins. Quand les vins eurent endormi les aides du bourreau, Akhikar dit au maître des hautes-œuvres :

— Te souviens-tu, maître à la dague acérée, que je t'ai jadis sauvé de la mort, quand tu avais été injustement condamné par le roi Sargon, père du roi Sennachérib ? Je savais alors que tu n'étais pas coupable et que c'eût été un grand péché de te faire mourir et je t'ai caché dans un lieu secret. Ensuite, j'ai fait comprendre au roi que tu n'avais commis aucun crime, que tu étais victime de paroles mensongères et de fausses accusations fabriquées par tes ennemis. J'ai convaincu notre souverain de ton innocence et il regretta son injustice.

— Oui, je m'en souviens, répondit le bourreau. Et jusqu'à la mort je te serai reconnaissant d'avoir sauvé ma vie au moment où je la croyais déjà perdue.

— Sache donc, maître des hautes-œuvres, que mon cas aujourd'hui est semblable au tien ! Si tu détiens dans les prisons un criminel qui a mérité la mort, exécute-le à ma place et remets son corps à ma famille pour qu'elle l'enterre. Quant à moi, je me cacherai dans les caves de mon palais et nul ne saura que je suis encore en vie. Quand toute l'affaire sera éclaircie et que mon innocence éclatera devant tout le pays, le roi regrettera de m'avoir fait mettre à mort injustement. Alors, tu te présenteras devant lui et tu diras :

« Majesté, je savais que ton vizir n'était pas coupable. Aussi ai-je exécuté à sa place un criminel qui méritait réellement la mort. J'ai caché dans un lieu secret ton fidèle conseiller afin que tu n'aies pas un jour à déplorer d'avoir condamné à une mort injuste le plus fidèle et le plus dévoué de tes serviteurs. »

Sois persuadé que le roi appréciera ta sage conduite et que tu jouiras de sa grande faveur. Et ainsi, tu m'auras rendu le bien pour le bien.

— Je sais bien que tu n'es pas coupable et je ferai volontiers ce que tu me demandes, répondit le bourreau.

Quand le bourreau eut exécuté le criminel, il se présenta devant le roi et déclara qu'il avait accompli sa tâche.

Le roi et le vizir Nadin s'en félicitèrent. Mais les ennemis du roi et ses voisins envieux en étaient plus satisfaits encore. Le vizir Akhikar avait à leurs yeux une grande importance. Ils craignaient ce sagace vieillard comme le canard le crocodile. Mais le peuple regrettait l'ancien vizir, souvent on parlait de lui, et toujours en bien.

Mais ce fut au pharaon d'Égypte que la mort d'Akhikar fit le plus de plaisir. Il envoya sans tarder au roi d'Assyrie une lettre ainsi libellée :

« Du pharaon Chabaka, souverain tout-puissant de la Haute- et de la Basse-Égypte à Sennachérib, roi d'Assyrie.

Je désire un château qui se tienne entre la terre et les cieux. Envoie-moi ton serviteur le plus savant, qui soit en même temps architecte, et ordonne-lui de me construire ce palais. Et je veux, en outre, qu'il réponde à trois questions que je lui poserai. Et, si tu n'obéis pas à mes ordres ou si tu m'envoies un incapable qui ne puisse rien faire, sache que j'envahirai ton pays à la tête de mes soldats et que nous ne le quitterons que quand tout ton royaume aura été foulé par les sabots de nos chevaux et détruit de fond en comble. »

Le roi lut cette abominable lettre et devint pâle comme un mort. S'il avait eu encore à sa cour le vizir Akhikar, il n'aurait éprouvé nulle crainte. Mais, que faire maintenant que ce sage conseiller était mort ? Il se plongea dans ses réflexions, puis fit appeler tous ses conseillers, ses savants et ses astrologues et ordonna au vizir Nadin de leur lire la lettre.

Puis le roi dit :

— Je vous ai fait venir tous afin que vous me disiez ce que je dois faire !

Tous les conseillers, les savants et les astrologues eurent un long conciliabule, puis l'un d'eux déclara :

— Le sage vizir Akhikar aurait facilement fait son affaire d'une telle missive. Nous savons tous qu'il a transmis sa sagesse et son expérience au vizir Nadin, le fils de sa sœur. C'est à lui, ô Roi, que tu dois ordonner de bâtir le palais que désire le pharaon. C'est lui qui doit répondre à ses questions.

— Que dites-vous ? s'écria Nadin interloqué. Mais, le pharaon demande des choses impossibles. Sûrement, il n'a pas imaginé sérieusement que nous lui répondrions ! Comment un homme pourrait-il bâtir quoi que ce soit entre la terre et les cieux ? Ô Roi, ne tourmente pas tes serviteurs et ne leur donne pas une tâche qu'ils ne peuvent remplir ! Si tu désires qu'ils t'obéissent, ne leur demande que ce qu'ils ont la force d'accomplir.

— Quelle audace, Nadin ! Que crois-tu donc pouvoir te permettre ? Un tel discours mériterait que je te fasse jeter aux lions ! s'exclama le roi, fort en colère. Je regrette d'avoir fait exécuter Akhikar. Je me rends compte maintenant que je m'étais laissé emporter par la colère et que j'ai été injuste envers mon ancien vizir. J'aurais dû faire une enquête sérieuse sur cette affaire de la lettre au pharaon, regretta le roi d'Assyrie. Si seulement quelqu'un était capable de ressusciter ! Pourtant, je puis faire venir ici Akhikar.
à cet homme la moitié de mon royaume et je le considérerais comme mon meilleur ami !

Alors le bourreau se présenta devant le roi et dit :

— Je fais mourir les gens, ô grand Roi, mais je ne sais pas les ressusciter ! Pourtant, je puis faire venir ici Akhikar.

Tous les sages, les astrologues et les savants frémirent et s'immobilisèrent sur leurs sièges comme des statues de pierre. Un lourd silence tomba sur la salle.

— Dis-tu la vérité ? s'exclama le roi, sortant de son saisissement.

— Oui, répondit d'une voix forte le maître des hautes-œuvres.

— Et comment est-ce possible que le vizir Akhikar soit encore en vie ? demanda le roi plein d'étonnement.

— Je savais que l'ancien vizir avait été victime d'une traîtrise, expliqua le bourreau. J'ai exécuté à sa place un criminel qui méritait vraiment la mort et j'ai caché le vieillard dans un endroit secret. J'étais persuadé que son innocence éclaterait un jour et qu'un jour,

notre pays aurait besoin de lui et que, toi, ô Roi tu regretterais de l'avoir fait mourir !

Le roi fut très heureux et il ordonna d'amener Akhikar sur l'heure. Le bourreau revint un moment après et Akhikar pénétra dans la salle avec lui.

Le roi d'Assyrie se leva de son trône, vint à la rencontre d'Akhikar, le salua et l'embrassa affectueusement. Tous les sages, les astrologues et les savants firent bon accueil au vieillard. Le seul à ne pas être satisfait était Nadin ! Il restait à sa place, immobile et pâle comme la mort. Le roi fit asseoir le vieux vizir à ses côtés et remercia le sort d'avoir épargné son ami. Il octroya au bourreau une magnifique récompense et le proclama son fidèle ami.

Mais, après ces instants de joie, on en revint aux affaires. Le roi tendit à Akhikar la lettre du pharaon. L'ayant lue, le vieux vizir sourit et dit :

— Cette tâche n'est pas aussi difficile qu'il y paraît au premier abord ! Accorde-moi, ô Roi, quarante jours pour que je réunisse les matériaux indispensables à la construction de ce palais.

Le roi était fort satisfait :

— Est-ce tout ce dont tu as besoin ? Je te donnerai tout ce que tu demanderas.

— Pour le moment, je n'ai besoin que de ces quarante jours, répondit le sage Akhikar.

Le conseil se sépara et la nouvelle qu'Akhikar était revenu se répandit dans tout le royaume à la vitesse de l'éclair et à la joie de tous. Tout le monde en était satisfait et complimentait le bourreau d'avoir épargné le vieux vizir.

Le seul à ne pas se réjouir était Nadin. Il craignait d'être chassé de son poste et durement châtié. Il n'avait pas une minute de repos. Il redoutait la vengeance de son oncle, ne supposant pas qu'il pourrait lui pardonner une action si noire. Il épiait avec angoisse le bruit de pas s'approchant de sa demeure. N'étaient-ce point les gardes du roi accompagnant le bourreau et ses aides pour le mener au lieu des exécutions ?

Akhikar rentra dans son palais et embrassa son épouse.

Le lendemain, le vieux vizir se mit au travail avec enthousiasme. Tout d'abord, il ordonna aux chasseurs de capturer deux aigles, grands et robustes. Puis, il commanda aux cordiers de tresser deux cordes très fines, presque invisibles mais, néanmoins, plus fortes que les cordages les plus résistants et mesurant chacune deux cents coudées. Il les fixa aux pattes des aigles. Puis il choisit deux gamins audacieux, habitua les aigles à leur présence et les fit monter sur le dos des deux immenses oiseaux. Les aigles s'envolèrent, portant leurs cavaliers, et s'élevèrent dans les cieux. Mais ils ne purent monter plus haut que deux cents coudées car ils étaient attachés aux cordes que tenaient les deux serviteurs les plus vigoureux d'Akhikar.

Jour après jour, pendant quarante jours, les deux aigles s'exercèrent à voler, portant sur le dos les deux gamins, à la hauteur de deux cents coudées.

Le quarante et unième jour, Akhikar se présenta devant le roi. Il lui demanda la permission de partir pour l'Égypte afin de bâtir au pharaon le palais qu'il désirait entre la terre et les cieux et de répondre à ses trois questions.

— Je ne puis imaginer, sage vizir, comment tu pourras construire un palais dans les airs ! s'exclama le roi.

— Majesté, je t'invite à venir contempler une grande merveille, répondit Akhikar. Viens demain matin avec ta famille dans le grand champ qui s'étend entre la ville et la rivière. Et invite tes sages, tes savants, tes astrologues et les princes, et rassemble aussi tout le peuple. Tous en auront joie et contentement !

En vérité, tous eurent, le lendemain, grande joie et extrême contentement ! Qui avait jamais vu deux jeunes garçons chevaucher deux aigles sauvages et les deux immenses oiseaux voler avec eux au-dessus de la rivière ? Dès que les aigles cessèrent d'agiter leurs ailes et qu'ils planèrent au-dessus des têtes, on entendit la voix des des deux enfants :

— Donnez-nous de l'argile et des pierres que nous construisions pour le pharaon d'Égypte un palais entre la terre et les cieux !

Tous les assistants se mirent à rire, surtout le roi et sa suite. Un poids leur était tombé du cœur. Ils étaient convaincus maintenant que le voyage d'Akhikar en Égypte serait un succès et que l'Assyrie resterait une nation indépendante.

Le roi fit accompagner Akhikar par toute une cohorte de soldats pour veiller à sa sécurité au cours du voyage, il lui donna ses meilleurs serviteurs pour s'occuper de lui, il envoya au pharaon dix caisses de magnifiques cadeaux et ses salutations royales les plus respectueuses. Il prit congé du vieux vizir, lui souhaitant bonne route et un heureux séjour en Égypte.

Et Akhikar, avec sa suite, traversa les montagnes, les vallées et les déserts brûlants, puis ils arrivèrent à la royale capitale du pharaon. Il alla jusqu'aux portes du palais et fit annoncer son arrivée au souverain. Le pharaon ordonna qu'il fût logé dans les appartements réservés aux hôtes royaux et le fit appeler.

Akhikar se présenta devant le pharaon, s'inclina jusqu'à terre et lui dit :

— Salut à toi, glorieux Pharaon ! Longue vie et bonheur ! Daigne accepter ces présents de mon maître, Sennachérib, roi d'Assyrie ! Il m'envoie vers toi afin que j'exécute tes ordres et exauce tes vœux.

— Homme, quel est ton nom ? demanda le pharaon.

— Je m'appelle Abikar et je fais partie du conseil des sages de notre roi, prétendit Akhikar.

— Je n'avais jamais entendu parler de toi, Abikar. J'espère que tu n'es pas aussi savant et aussi malin que l'ancien vizir Akhikar. A lui, je n'aurais osé lancer un défi, reprit le pharaon avec un grand rire.

— Personne, dans notre pays, ne voulait venir en Égypte. Le sort est tombé sur moi. Si je ne réussis pas dans ma mission, je ne pourrai retourner en Assyrie. C'est l'ordre et la volonté de mon maître, le roi d'Assyrie, répondit Akhikar.

— Prends donc du repos avec tes gens. Tu peux, pendant trois jours, profiter de mon hospitalité et penser au travail que tu as à accomplir. Le quatrième jour, je convoquerai le conseil royal et tu comparaîtras devant les sages assemblés, déclara le pharaon.

Les trois jours s'étant écoulés, Akhikar se présenta devant le pharaon et son conseil.

— J'espère que tu es remis des fatigues de ton long voyage et que tu as réparé tes forces, dit le souverain d'Égypte. Sois sûr que tu en auras besoin pour exécuter mes ordres et répondre à mes questions. Mais, tout d'abord, je voudrais que tu sois sincère et que tu me révèles qui tu es vraiment. Ton visage ne m'est pas inconnu. Je suis persuadé que je t'ai déjà vu.

— Cela est vrai, glorieux pharaon. Nous nous sommes vus quand j'ai accompagné mon maître Sennachérib, roi d'Assyrie, lors d'une rencontre à la frontière qui sépare nos deux pays. Je suis Akhikar, vizir du roi Sennachérib, avoua le vieux savant.

— Mais, s'écria le pharaon étonné, ce savant vizir est mort !

— Il est vrai que le roi m'avait condamné à mort, mais le destin et le grand Assour en ont décidé autrement, répondit Akhikar.

Il raconta sa triste aventure au pharaon et à son conseil. Le souverain resta pensif un moment puis ordonna :

— Je veux que tu me construises un palais entre la terre et les cieux !

— J'ai amené avec moi nos meilleurs architectes et nos plus habiles ouvriers. Il te revient, Pharaon, de nous montrer l'endroit où tu désires que nous construisions et de nous fournir sur le chantier l'argile et les pierres, répondit Akhikar d'une voix claire.

Le pharaon ordonna tout de suite d'apporter, sur un espace libre, au centre de la ville, des pierres, du sable et de l'argile. Puis, il fit appeler tous ses sages, ses scribes, ses conseillers, ses princes et ils se rendirent tous sur les lieux. Akhikar les attendait déjà avec toute sa suite.

Le pharaon et ses gens étaient assemblés en foule et virent, au-dessus de leurs têtes, deux aigles immenses qui s'élevaient, portant sur leur dos deux jeunes garçons. Les aigles battaient des ailes et montaient de plus en plus haut. Quand ils eurent atteint une certaine hauteur, ils se mirent à tourner en vol plané au-dessus de l'assemblée et les deux enfants crièrent, de toute la force de leurs poumons :

— Portez-nous les pierres, l'argile et le sable que nous construisions un palais entre la terre et les cieux pour le tout-puissant pharaon !

— Travailleurs égyptiens, dépêchez-vous et apportez à mes architectes ce qu'ils demandent, ordonna Akhikar. N'entendez-vous pas ce qu'ils disent ?

Les Égyptiens se regardaient l'un l'autre d'un air effaré, ne sachant que faire. Le pharaon se tourna vers Akhikar et lui dit :

— Tu demandes l'impossible, Akhikar ! Qui pourrait porter des pierres et de l'argile à une telle hauteur ?

— Mais, répondit Akhikar, feignant l'étonnement, ne nous as-tu pas toi-même, demandé cela ?

— Je renonce, dit le pharaon bien vite. Je ne demanderai pas l'impossible. Retourne au palais des hôtes, prends du repos et viens me rendre visite demain matin. Telle est ma volonté !

Akhikar obéit aux ordres du pharaon et retourna au palais avec sa suite.

Fort avant dans la nuit, les Égyptiens s'entretinrent avec stupéfaction de la merveille dont ils avaient été témoins.

Le lendemain matin, le sage vizir se rendit au palais du pharaon et se présenta devant le souverain d'Égypte et son sage conseil. Le pharaon lui ordonna :

— Akhikar, je veux que tu me fasses une corde de sable !

Et Akhikar demanda :

— Glorieux Pharaon, commande à tes gens de m'apporter une corde ordinaire. J'ai besoin d'un modèle.

On apporta la corde, Akhikar la prit, la tendit à un mètre environ au-dessus du sol et la fixa au mur sud du palais. Dans ce même mur, il pratiqua une entaille juste au-dessus de la ficelle. Les rayons du soleil pénétrèrent dans la salle par l'orifice et l'on vit se dessiner sur le sol l'image fidèle de la corde.

Et Akhikar s'écria :

— Glorieux Pharaon, maître du monde, voici la corde de sable que tu m'as demandée ! Que tes serviteurs la ramassent, l'enroulent et te l'apportent.

Le pharaon resta un moment silencieux, puis reprit :

— Voici, vizir, les deux moitiés d'une grosse pierre qui s'est brisée hier dans la montagne. Je veux que, de ses deux moitiés, tu reconstitues la pierre.

Et il montra la pierre que ses serviteurs venaient d'apporter dans la salle.

— Je suis au regret, glorieux Pharaon. Je n'ai pas pris avec moi l'alène qui m'aurait permis de recoudre la pierre. Ordonne à tes artisans qu'ils m'en taillent une dans la pierre et je te réparerai immédiatement ce roc, répondit l'astucieux Akhikar.

Le pharaon se mit à rire et dit :

— Je n'ai plus rien à te demander. De toute façon, tu m'aurais encore joué ! Tu as toute mon estime, sage vizir ! Tu es l'homme le plus savant et le plus intelligent qu'il m'ait été donné de rencontrer. Des gens comme toi sont les plus grandes richesses et les plus précieux trésors qu'un roi ou qu'un pays puissent posséder.

Il offrit à Akhikar de somptueux présents et fit venir son scribe à qui il dicta une missive pour le roi d'Assyrie, dans laquelle il lui faisait compliment de la sagesse de son vizir et où il proclamait que Chabaka, pharaon de la Haute-Égypte et de la Basse-Égypte, devenait, à partir de ce jour, l'ami du roi Sennachérib et l'allié fidèle du royaume d'Assyrie. Puis il prit congé d'Akhikar et de ses gens en leur souhaitant un heureux retour dans leur pays natal.

Après un long et pénible voyage, Akhikar arriva au royaume d'Assyrie et remit au roi Sennachérib la lettre du pharaon.

Quand le souverain lut la lettre, il en fut très heureux et il pria son vieux serviteur de lui conter dans tous les détails son voyage et son séjour en Égypte. Puis, le roi dit amicalement :

— Tu peux me demander tout ce que tu veux : de l'argent, un domaine, un palais, je serai heureux de te donner ce que tu désires, quel qu'en soit le prix ! Sois persuadé, mon fidèle Akhikar, que les services que tu m'as rendus ne sauraient se payer !

Je ne te demanderai rien, ô mon Roi vénéré, que la vie du fils de ma sœur, le vizir Nadin, répondit le sage vieillard.

— Sa vie est entre tes mains, fidèle Akhikar, répondit le roi. C'est à toi de décider s'il vivra ou s'il mourra !

Akhikar fit amener Nadin dans son palais et commanda à ses serviteurs de l'enfermer dans une pièce sombre et glacée et de l'enchaîner solidement au mur de pierre. Ils ne devaient lui apporter que du pain sec et de l'eau et, avant chaque repas, le fouetter de verges.

Un jour, Nadin, à bout de souffrances, dit à Akhikar :

— Pourquoi es-tu en colère contre moi, mon cher oncle ? Pourquoi me torturer ainsi ?

— Parce que je t'ai élevé, je t'ai tout appris, je t'ai fait nommer vizir royal et, dans ma naïveté, je voulais encore te léguer toutes mes richesses. Et, en remerciement de ma bonté et de ma générosité, tu m'as calomnié, tu m'as trahi et il s'en est fallu de peu que tu me prives de la vie. Sans l'intervention du grand dieu Assour, le très juste et le tout-puissant, je ne compterais plus au nombre des vivants. Tu es comme le scorpion, Nadin, dont l'aiguillon sème la mort autour de lui. Tu es comme le serpent qui, comme s'il mourait de faim, gît immobile et, quand un homme compatissant essaie de le réchauffer, plante dans son corps ses crocs empoisonnés, répondit le sage Akhikar.

Et, à coups de bâton, il fit chasser de son palais son neveu Nadin, dépouillé de tout, comme le plus pauvre des mendiants.

ET LES SOURIS
SAUVÈRENT L'ÉGYPTE

Les antiques papyrus rapportent que le pharaon Taharka, le second fils du grand pharaon Chabaka, ne prisait pas les soldats et se conduisait mal envers eux. Il les avait chassés de leurs demeures et leur avait confisqué les biens que ses ancêtres leur avaient octroyés en récompense de leurs services et de leur vaillance. Il imaginait follement que la puissante Égypte n'avait rien à redouter de personne et qu'il n'aurait jamais besoin de soldats. Il ne voulait, à aucun prix, nourrir ces parasites à ne rien faire.

Il employait toutes les richesses du trésor royal à construire des temples magnifiques, à rénover les antiques sanctuaires, à faire tailler dans le granit noir des statues de Rê. Aussi Rê le tout-puissant aimait-il le pharaon et protégeait-il son royaume.

Un jour, le puissant roi d'Assyrie vint envahir l'Égypte ainsi affaiblie à la tête de son armée et il proclama qu'il foulerait toute la terre d'Égypte sous les sabots de ses chevaux.

Ses guerriers, hommes robustes et vaillants, porteurs d'arcs et de lances, avaient de redoutables armes de fer et exterminaient sans pitié leurs adversaires. Ils avaient envahi tout le pays des cèdres et déjà menaçaient les frontières égyptiennes.

Les soldats égyptiens ne voulaient pas se mesurer aux Assyriens et refusèrent d'obéir aux ordres du pharaon. Ils ne voulaient pas répandre leur sang et donner leur vie pour un pharaon qui les avait outragés et opprimés.

Le pharaon, dans son désespoir, se rendit au temple de Rê le tout-puissant et, agenouillé devant sa statue, lui rapporta quel danger menaçait le pays d'Égypte. Puis le pharaon, épuisé par la fatigue et les soucis, s'endormit devant la statue du dieu. Dans son rêve, lui apparut Rê le tout-puissant qui lui promit qu'il n'avait rien à redouter de la guerre contre les Assyriens parce que lui-même interviendrait au moment opportun.

Le pharaon, se fiant à son rêve, rassembla les Égyptiens qui voulurent bien le suivre et établit son camp dans une ville proche de la frontière. Il attendait le jour du combat.

D'un côté, se tenait l'armée du pharaon : pas de soldats, mais des boutiquiers, des artisans, des traînards ; de l'autre côté, l'énorme armée des Assyriens équipés de leurs armes de fer.

Dans la nuit qui devait précéder la bataille, surgit on ne sait d'où, une armée de souris. Elles se répandirent sur les guerriers assyriens qui dormaient d'un profond sommeil, rongèrent les carquois qui contenaient les flèches, les cordes des arcs et les courroies des boucliers. Le lendemain, il n'y eut pas de bataille.

Les ennemis se sauvèrent sans combattre et beaucoup, dans leur fuite, perdirent la vie.

Depuis ce jour, les Égyptiens tiennent les souris en grande estime et les honorent à l'égal de tous les autres animaux sacrés.

LA BELLE ESCLAVE
QUI DEVINT L'ÉPOUSE DU PHARAON

Aux temps où régnait sur les pays égyptiens Psammétique I, l'un des derniers pharaons de l'ancien empire, souverain juste et sage, vivait dans la ville de Naucratis un très riche marchand grec.

Un jour que le marchand s'était rendu au marché, il remarqua une grande affluence à l'endroit où l'on vendait les esclaves. Pris de curiosité, il s'approcha et se rendit compte que les regards de la foule étaient fixés sur une jeune fille, exposée sur une marche de pierre. C'était une jeune esclave grecque que son propriétaire avait amenée là pour la vendre. C'était une ravissante enfant, au teint de rose, à la peau de jasmin. Le marchand en resta immobile de saisissement, jamais il n'avait vu femme si belle ! Il décida de l'acheter. Il fallait qu'elle soit sienne, dût-il donner pour cela toute sa fortune.

Mais il n'eut pas à en venir à cette extrémité. Le Grec était de loin le marchand le plus riche de la ville et nul n'osa soutenir les enchères contre lui. Il obtint la jeune fille tout à fait aisément et à bon prix. Il l'emmena chez lui, fit préparer pour elle un bain parfumé, et lui offrit un repas délicieux et de fraîches boissons. Ensuite, il la fit asseoir auprès de lui sous une tonnelle et la pria de lui raconter l'histoire de sa vie.

La jeune fille se nommait Rhodopis, des pirates l'avaient enlevée toute petite de la maison de ses parents, en Grèce. Ils la vendirent à un homme fortuné qui rassemblait des esclaves dans une île, bien loin de son pays natal. C'est là qu'elle grandit. Un vieillard très laid, esclave lui aussi, prit soin d'elle. Il était bon pour elle et lui contait de captivantes histoires sur les animaux, sur les oiseaux et aussi sur les hommes, les bons et les méchants.

Avec les années, elle devint une jeune fille si belle qu'on ne trouvait pas sa pareille loin à la ronde et son maître décida de la vendre. Il pensait qu'une esclave si belle lui rapporterait beaucoup d'argent. Il l'envoya donc au marché de Naucratis car il savait que la ville comptait beaucoup d'hommes riches.

Le marchand écouta attentivement cette triste histoire et il eut profondément pitié de la pauvre enfant. Il la prit en affection, lui donna une jolie maison entourée d'un grand jardin. Il fit aménager au milieu du jardin un lac artificiel tout en marbre dans lequel deux fontaines de pierre faisaient couler une eau fraîche et transparente comme l'albâtre.

Il couvrit la jeune fille de riches joyaux et de magnifiques vêtements et l'entoura d'une foule d'esclaves et de serviteurs pour veiller sur elle. Il la choyait comme si elle eût été sa propre fille.

Un jour, à l'heure de midi, quand le soleil dispense ses rayons les plus brûlants, Rhodopis se baignait dans l'eau fraîche du bassin. Ser-

viteurs et esclaves se tenaient à l'ombre des palmiers, gardant les vêtements de la jeune fille, sa ceinture ornée de pierres précieuses et ses petites pantoufles roses, celle de ses parures que Rhodopis préférait. Le calme et la paix régnaient sur le jardin.

Tout à coup, venu on ne sait d'où, un aigle immense surgit des cieux et piqua vers le sol. Pris d'effroi, esclaves et serviteurs abandonnèrent les vêtements dont ils avaient la garde et se cachèrent en criant dans les buissons et derrière les arbres. Rhodopis sortit de l'eau, s'appuya contre la fontaine, regardant, étonnée, ce qui causait tout ce tumulte.

Mais l'aigle ne prêta attention à personne. Il se laissa tomber sur le sol et saisit dans ses griffes une des petites pantoufles roses. Puis il battit furieusement des ailes, prit de la hauteur et s'éloigna au-dessus de la vallée du Nil, emportant avec lui son léger butin.

Rhodopis pleurait amèrement. Elle était persuadé qu'elle ne reverrait jamais plus sa pantoufle rose, elle était désolée d'avoir perdu juste l'objet le plus charmant que lui avait offert son tendre ami, son protecteur, le marchand grec.

L'aigle volait au haut des cieux au-dessus du fleuve, en amont vers le sud et il arriva à la capitale du pharaon, il décrivit des cercles au-dessus du palais, descendit vers la cour et laissa tomber la pantoufle.

Le pharaon Psammétique I était précisément dans sa cour, assis sur son fauteuil d'or, écoutant les plaintes et les réclamations de ses sujets et rendant à tous exacte justice. Quand l'aigle apparut dans le ciel bleu et qu'il laissa tomber la petite pantoufle, elle se retrouva sur les genoux du souverain.

Les gens poussèrent des cris de surprise ! Le pharaon, saisi, regardait sans comprendre la petite pantoufle rose gisant sur ses genoux. Puis, il saisit cet objet tombé du ciel et l'observa soigneusement. Il en admirait la forme, la couleur, la finesse du travail et, surtout, la petite taille. Il sentait que la jeune fille à laquelle appartenait cette charmante chaussure rose était une des plus belles créatures de ce monde. Il imagina que le tout-puissant Rê la lui avait destinée pour épouse et qu'il avait envoyé le grand aigle comme ambassadeur.

Le pharaon n'hésita pas longtemps, il se leva de son trône et s'écria :

— Que mes envoyés parcourent tout mon royaume, emportant cette pantoufle rose et qu'ils cherchent celle à qui elle appartient. Cette jeune fille deviendra ma fiancée. Telle est ma volonté !

Les envoyés vinrent se prosterner devant leur souverain et dirent :

— Glorieux Pharaon ! Longue vie et bonheur à toi ! Le maître du monde a parlé, ses ordres seront exécutés !

Ils se mirent en route sur l'heure. Ils parcoururent toute l'Égypte, n'oubliant ni ville, ni village, ni hameau, ils arrivèrent dans la ville de Naucratis. On leur parla du riche marchand grec qui avait acheté une belle jeune fille au marché aux esclaves. On ajouta qu'il la chérissait et la choyait et dépensait pour elle toutes ses richesses comme si elle eût été non une simple esclave, mais quelque princesse de royale origine.

Les messagers se rendirent aussitôt dans la grande demeure sur la berge du Nil. Ils trouvèrent Rhodopis dans son paisible jardin, elle se tenait près du lac, occupée à contempler ses eaux azurées. Quand ils lui montrèrent la pantoufle, il lui échappa un cri d'étonnement, elle l'avait reconnue et ne put cacher sa joie. Elle tendit le le pied et les envoyés lui chaussèrent la pantoufle qui lui allait parfaitement. Elle envoya sa servante chercher la deuxième pantoufle, car elle l'avait gardée en souvenir de l'étrange aventure de l'aigle voleur. Elle avait enfin rassemblé sa paire de pantoufles roses.

Les envoyés durent se rendre à l'évidence : cette jeune fille était bien celle que le pharaon leur avait donné l'ordre de trouver.

Ils s'inclinèrent devant elle et lui dirent :

— Le glorieux pharaon Psammétique I, maître de la terre entière, nous a ordonné de te ramener au palais. Un aigle immense lui a apporté ta pantoufle rose et le pharaon a décidé de te prendre pour épouse et de faire de toi la reine d'Égypte. Viens, prends place dans notre palanquin, noble dame. Nous te conduirons au palais royal. Les ordres du pharaon doivent être exécutés !

Et Rhodopis prit congé du marchand grec que ces événements avaient bouleversé ! Il ne savait s'il devait se réjouir du bonheur de sa jeune protégée ou pleurer du chagrin de la perdre.

Quand le pharaon jeta ses regards sur Rhodopis, son cœur frémit de joie et tout son être fut pénétré d'un bonheur extrême. Il la prit pour épouse et lui donna le titre de reine de l'Égypte.

Ils vécurent ensemble dans la joie, le bonheur et le cœur plein d'amour.

ÉPILOGUE

La barque flamboyante du dieu-Soleil, Rê le tout-puissant, navigue encore dans les cieux et son ardeur baigne la terre entière. Mais ses rayons acérés ne sont déjà plus si brûlants. La barque d'or s'approche des montagnes du désert de l'ouest. Bientôt le groupe des dieux lui ouvrira les portes du royaume de l'ouest et l'obscurité retrouvera son pouvoir sur les Deux-Royaumes.

Le vaisseau royal a jeté l'ancre dans le port de la grande ville d'Alexandrie, l'or de sa proue et la pourpre de ses voiles ne jettent plus que de faibles éclats. Il est arrivé au terme de son long voyage dans le pays d'Égypte.

En ce moment, on célèbre une fête magnifique au palais royal, les hôtes sont réunis dans la salle du banquet. La grande reine Cléopâtre a organisé cette cérémonie en l'honneur de son fils, le prince Ptolémée Césarion. Les tables sont garnies de vaisselle d'or incrustée de pierres précieuses, les murs sont cachés sous des tentures filées de fils d'or et de pourpre. La reine a fait préparer trente loges pour les invités d'honneur et elle a convié les plus hauts dignitaires, les prêtres, les officiers, les ambassadeurs des contrées étrangères, les princes, les savants et les astrologues. Elle a fait recouvrir le sol de la salle d'honneur d'une couche de pétales de roses, épaisse d'une coudée ; les tables ploient sous les mets les plus délicats et les boissons les plus délicieuses. Au son des luths et des fifres, les plus belles jeunes filles d'Égypte, les plus habiles danseuses évoluent avec grâce.

Dans une des loges d'honneur, la reine Cléopâtre a pris place sur un trône d'or et, auprès d'elle, sur des sièges d'or, se tiennent son fils, le prince Ptolémée Césarion, et le scribe de la reine, le vieillard le plus sage et le plus savant du pays d'Égypte.

— Mon scribe fidèle, dit la reine, tout au long de notre voyage, comme je t'en avais prié, tu nous as dit les mystérieuses histoires des siècles passés. Nous y avons puisé sagesse et enseignement et elles

*ont fait en même temps nos délices. Je suis tout à fait satisfaite
de toi !*

*— Grande Reine, longue vie et bonheur à toi éternellement
et à jamais ! lui répond le sage vieillard. Je suis heureux que
mes récits t'aient plu et qu'ils aient plu au noble prince. J'espère
que la sagesse des temps passés sera un jour utile à ton fils.*

*— Je suis sûre qu'il aura besoin de se souvenir de tes enseignements
quand il me succédera sur le trône, dit la reine. Aujourd'hui même,
mon fidèle scribe, nous écrirons un avis au gardien du trésor royal
pour qu'il te remette tout l'or et tout l'argent que tu désireras emporter
avec toi. Et sois assuré que la plus magnifique récompense royale
n'égalera le service que tu nous as rendu. Car la sagesse est un trésor
plus grand que tous les plus riches trésors.*

*La barque d'or du soleil atteint les portes du royaume de l'ouest
et son dernier rayon marque la fin du jour. Dans le palais royal,
la fête magnifique touche alors à sa fin. Et voici que s'achèvent
aussi nos récits sur l'antique Égypte et ses glorieux pharaons.*

*Et Rê, le dieu-Soleil, jour après jour, continue son périple dans
l'azur des cieux pour apporter à l'Égypte la lumière, la vie,
l'espérance et le bonheur.*